노래로 배우는
한국어 1

にほんご(일본어)
ほんやくばん(번역판)

- 노래 (名詞)：うた【歌・唄】。かきょく【歌曲】
  韻律に合わせて作った歌詞に曲をつけた音楽。また、音楽を声に出して歌うこと。

- 로 : で
  ある動作を行うための方法や方式を表す助詞。

- 배우다 (動詞)：まなぶ【学ぶ】。ならう【習う】
  新しい知識を得る。

- -는 : する。ている
  前の言葉に連体修飾語の機能を持たせ、出来事や動作が現在進行中であるという意を表す語尾。

- 한국어 (名詞)：かんこくご【韓国語】
  韓国で話されている言語。

※ 이 책의 폰트는 '함초롬 바탕체'를 사용하였습니다.

< 저자(ちょしゃ) >

㈜한글2119연구소

· 연구개발전담부서

· ISO 9001 : 품질경영시스템 인증

· ISO 14001 : 환경경영시스템 인증

· 이메일(でんしメール) : gjh0675@naver.com

< 동영상(どうが) 자료(しりょう) >

HANPUK_にほんご(ほんやく)
https://www.youtube.com/@HANPUK_Japanese

제 2024153361 호

연구개발전담부서 인정서

1. 전담부서명: 연구개발전담부서

　[소속기업명: (주)한글2119연구소]

2. 소　재　지: 인천광역시 부평구 마장로264번길 33
　　　　　　　상가동 제지하층 제2호 (산곡동, 뉴서울아파트)

3. 신고 연월일: 2024년 05월 02일

과학기술정보통신부

「기초연구진흥 및 기술개발지원에 관한 법률」 제14조의
2제1항 및 같은 법 시행령 제27조제1항에 따라 위와 같이
기업의 연구개발전담부서로 인정합니다.

2024년 5월 13일

한국산업기술진흥협회장

G-CERTI *Certificate*

hereby certifies that

Hangul 2119 Research Institute Co., Ltd.

Rm. 2, Lower level, Sangga-dong, 33, Majang-ro 264beon-gil, Bupyeong-gu, Incheon, Korea

meets the Standard Requirements & Scope as following

ISO 9001:2015
Quality Management Systems

Creation of Media Content, Publication of Korean Paper and Electronic Textbooks, Production and Release of Albums for Korean Language Education

Certificate No: GIS-6934-QC		Code	: 08, 39
Initial Date	: 2024-05-21	Issue Date	: 2024-05-21
Expiry Date	: 2027-05-20	Valid Period	: 2024-05-21 ~ 2027-05-20

Signed for and on behalf of GCERTI
President I.K. Cho

G-CERTI *certificate*

hereby certifies that

Hangul 2119 Research Institute Co., Ltd.

Rm. 2, Lower level, Sangga-dong, 33, Majang-ro 264beon-gil, Bupyeong-gu, Incheon, Korea

meets the Standard Requirements & Scope as following

ISO 14001:2015
Environmental Management Systems

Creation of Media Content, Publication of Korean Paper and Electronic Textbooks, Production and Release of Albums for Korean Language Education

Certificate No: GIS-6934-EC		Code	: 08, 39
Initial Date	: 2024-05-21	Issue Date	: 2024-05-21
Expiry Date	: 2027-05-20	Valid Period	: 2024-05-21 ~ 2027-05-20

Signed for and on behalf of GCERTI
President I.K.Cho

< 목차(もくじ【目次】) >

＜１＞

한글송

한글(ハングル) 송(うた【歌・唄】)

[발음(はつおん【発音】)]

< 전주(ぜんそう【前奏】) >

바 빠 파 다 따 타 가 까 카 자 짜 차 사 싸 하 마 나 아 라
바 빠 파 다 따 타 가 까 카 자 짜 차 사 싸 하 마 나 아 라
ba ppa pa da tta ta ga kka ka ja jja cha sa ssa ha ma na a ra

자음 열아홉 개 소리
자음 여라홉 개 소리
jaeum yeorahop gae sori

아 어 오 우 으 이 애 에 외 위 야 여 요 유 얘 예 와 워 왜 웨 의
아 어 오 우 으 이 애 에 외 위 야 여 요 유 얘 예 와 워 왜 웨 의
a eo o u eu i ae e oe wi ya yeo yo yu yae ye wa wo wae we ui

모음 스물한 개 소리
모음 스물한 개 소리
moeum seumulhan gae sori

< 1 절(せつ【節】) >

다 같이 말해 봐
다 가치 말해 봐
da gachi malhae bwa

아설순치후
아설순치후
aseolsunchihu

다 함께 불러 봐
다 함께 불러 봐
da hamkke bulleo bwa

아설순치후
아설순치후
aseolsunchihu

우리 모두 느껴 봐
우리 모두 느껴 봐
uri modu neukkyeo bwa

발음 기관을 본뜬
바름 기과늘 본뜬
bareum gigwaneul bontteun

기역, 니은, 미음, 시옷, 이응
기역, 니은, 미음, 시욷, 이응
giyeok, nieun, mieum, siot, ieung

다섯 글자
다섣 글짜
daseot geulja

세상의 모든 소리를 들어 봐
세상에 모든 소리를 드러 봐
sesange modeun sorireul deureo bwa

또 하고 싶은 말을 다 외쳐 봐
또 하고 시픈 마를 다 외처 봐
tto hago sipeun mareul da oecheo bwa

신비로운 사연
신비로운 사연
sinbiroun sayeon

감추었던 비밀
감추얻떤 비밀
gamchueotdeon bimil

진실을 전해 줘
진시를 전해 줘
jinsireul jeonhae jwo

< 후렴(くりかえし【繰り返し】) >

아 야 어 여 오 요 우 유 으 이
아 야 어 여 오 요 우 유 으 이
a ya eo yeo o yo u yu eu i

가 나 다 라 마 바 사 아 자 차 카 타 파 하
가 나 다 라 마 바 사 아 자 차 카 타 파 하
ga na da ra ma ba sa a ja cha ka ta pa ha

이제부터 들려 줘 너의 마음을
이제부터 들려 줘 너에 마으믈
ijebuteo deullyeo jwo neoe maeumeul

지금부터 전해 줘 너의 사랑을
지금부터 전해 줘 너에 사랑을
jigeumbuteo jeonhae jwo neoe sarangeul

아 야 어 여 오 요 우 유 으 이
아 야 어 여 오 요 우 유 으 이
a ya eo yeo o yo u yu eu i

가 나 다 라 마 바 사 아 자 차 카 타 파 하
가 나 다 라 마 바 사 아 자 차 카 타 파 하
ga na da ra ma ba sa a ja cha ka ta pa ha

모음 스물하나에 자음 열아홉을 더해
모음 스물하나에 자음 여라호블 더해
moeum seumulhanae jaeum yeorahobeul deohae

마흔 가지 소리로 세상을 느껴 봐
마흔 가지 소리로 세상을 느껴 봐
maheun gaji soriro sesangeul neukkyeo bwa

< 2 절(せつ【節】) >

하늘과 땅이 만나 ㅗ, ㅜ
하늘과 땅이 만나 ㅗ, ㅜ
haneulgwa ttangi manna o, u

사람과 만난다면 ㅏ, ㅓ
사람과 만난다면 ㅏ, ㅓ
saramgwa mannandamyeon a, eo

하루면은 충분해
하루며는 충분해
harumyeoneun chungbunhae

하늘, 땅, 사람을 본뜬
하늘, 땅, 사라믈 본뜬
haneul, ttang, sarameul bontteun

아 어 오 우 야 여 요 유 으 이
아 어 오 우 야 여 요 유 으 이
a eo o u ya yeo yo yu eu i

열 글자
열 글짜
yeol geulja

세상의 모든 소리를 들어 봐
세상에 모든 소리를 드러 봐
sesange modeun sorireul deureo bwa

또 하고 싶은 말을 다 외쳐 봐
또 하고 시픈 마를 다 외처 봐
tto hago sipeun mareul da oecheo bwa

신비로운 사연
신비로운 사연
sinbiroun sayeon

감추었던 비밀
감추얻떤 비밀
gamchueotdeon bimil

진실을 전해 줘
진시를 전해 줘
jinsireul jeonhae jwo

< 후렴(くりかえし【繰り返し】) >

아 어 오 우 야 여 요 유 으 이
아 어 오 우 야 여 요 유 으 이
a eo o u ya yeo yo yu eu i

가 나 다 라 마 바 사 아 자 차 카 타 파 하
가 나 다 라 마 바 사 아 자 차 카 타 파 하
ga na da ra ma ba sa a ja cha ka ta pa ha

이제부터 들려 줘 너의 마음을
이제부터 들려 줘 너에 마으믈
ijebuteo deullyeo jwo neoe maeumeul

지금부터 전해 줘 너의 사랑을
지금부터 전해 줘 너에 사랑을
jigeumbuteo jeonhae jwo neoe sarangeul

아 어 오 우 야 여 요 유 으 이
아 어 오 우 야 여 요 유 으 이
a eo o u ya yeo yo yu eu i

가 나 다 라 마 바 사 아 자 차 카 타 파 하
가 나 다 라 마 바 사 아 자 차 카 타 파 하
ga na da ra ma ba sa a ja cha ka ta pa ha

모음 스물하나에 자음 열아홉을 더해
모음 스물하나에 자음 여라호블 더해
moeum seumulhanae jaeum yeorahobeul deohae

마흔 가지 소리로 세상을 느껴 봐
마흔 가지 소리로 세상을 느껴 봐
maheun gaji soriro sesangeul neukkyeo bwa

들려 줘요
들려 줘요
deullyeo jwoyo

이 소리 들리나요.
이 소리 들리나요.
i sori deullinayo.

달콤하게, 부드럽게 우리 모두 말해 봐요.
달콤하게, 부드럽께 우리 모두 말해 봐요.
dalkomhage, budeureopge uri modu malhae bwayo.

< 전주(ぜんそう【前奏】) >

바 빠 파 다 따 타 가 까 카 자 짜 차 사 싸 하 마 나 아 라

ㅂ : 한글 자모의 여섯째 글자. 이름은 '비읍'으로, 소리를 낼 때의 입술 모양은 'ㅁ'과 같지만 더 세게 발음되므로 'ㅁ'에 획을 더해서 만든 글자이다.
対訳語無し
ハングル字母の6番目の文字。名称は「ビウプ」で、音を出す時、唇の模様は「ㅁ」と同じだが、さらに強く発音されるため、「ㅁ」に画をさらに加えて作った文字。

ㅃ : 한글 자모 'ㅂ'을 겹쳐 쓴 글자. 이름은 쌍비읍으로, 'ㅂ'의 된소리이다.
対訳語無し
ハングル字母の「ㅂ」を重ねて書いた文字。名称は「サンビウプ」で、「ㅂ」の硬音である。

ㅍ : 한글 자모의 열셋째 글자. 이름은 '피읖'으로, 'ㅁ, ㅂ'보다 소리가 거세게 나므로 'ㅁ'에 획을 더하여 만든 글자이다.
対訳語無し
ハングル字母の13番目の文字。名称は「ピウッ」で「ㅁ、ㅂ」より音が強く、「ㅁ」にさらに一画を加えて作った文字。

ㄷ : 한글 자모의 셋째 글자. 이름은 '디귿'으로, 소리를 낼 때 혀의 모습은 'ㄴ'과 같지만 더 세게 발음되므로 한 획을 더해 만든 글자이다.
対訳語無し
ハングル字母の3番目の文字。名称は「ティグッ」で、音を出すとき舌の形は「ㄴ」と同じだが、より強く発音するため一画を加えて作った文字。

ㄸ : 한글 자모 'ㄷ'을 겹쳐 쓴 글자. 이름은 쌍디귿으로, 'ㄷ'의 된소리이다.
対訳語無し
ハングル字母の「ㄷ」を重ねて書いた文字。名称は「サンディグッ」で、「ㄷ」の硬音である。

ㅌ : 한글 자모의 열두째 글자. 이름은 '티읕'으로, 'ㄷ'보다 소리가 거세게 나므로 'ㄷ'에 한 획을 더하여 만든 글자이다.
対訳語無し
ハングル字母の12番目の文字。名称は「ティウッ」で「ㄷ」より音が強く、「ㄷ」にさらに一画を加えて作った文字。

ㄱ : 한글 자모의 첫째 글자. 이름은 기역으로 소리를 낼 때 혀뿌리가 목구멍을 막는 모양을 본떠 만든 글자이다.
対訳語無し
ハングル字母の1番目の文字。名称は「キョッ」で、音を出すとき舌の根が喉を防ぐ模様をまねして作った文字。

ㄲ : 한글 자모 'ㄱ'을 겹쳐 쓴 글자. 이름은 쌍기역으로, 'ㄱ'의 된소리이다.

対訳語無し

ハングル字母の「ㄱ」を重ねて書いた文字。名称は「サンギョク」で、「ㄱ」の硬音である。

ㅋ : 한글 자모의 열한째 글자. 이름은 '키읔'으로 'ㄱ'보다 소리가 거세게 나므로 'ㄱ'에 한 획을 더하여 만든 글자이다.

対訳語無し

ハングル字母の11番目の文字。名称は「キウッ」で「ㄱ」より音が強く、「ㄱ」にさらに一画を加えて作った文字。

ㅈ : 한글 자모의 아홉째 글자. 이름은 '지읒'으로, 'ㅅ'보다 소리가 더 세게 나므로 'ㅅ'에 한 획을 더해 만든 글자이다.

対訳語無し

ハングル字母の9番目の文字。名称は「チウッ」で「ㅅ」より音が強く、「ㅅ」に一画を加えて作った文字。

ㅉ : 한글 자모 'ㅈ'을 겹쳐 쓴 글자. 이름은 쌍지읒으로, 'ㅈ'의 된소리이다.

対訳語無し

ハングル字母の「ㅈ」を重ねて書いた文字。名称は「サンジウッ」で、「ㅈ」の硬音。

ㅊ : 한글 자모의 열째 글자. 이름은 '치읓'으로 '지읒'보다 소리가 거세게 나므로 '지읒'에 한 획을 더해서 만든 글자이다.

対訳語無し

ハングル字母の10番目の文字。名称は「チウッ」で「ㅈ」より音が強く、「ㅈ」にさらに一画を加えて作った文字。

ㅅ : 한글 자모의 일곱째 글자. 이름은 '시옷'으로 이의 모양을 본떠서 만든 글자이다.

対訳語無し

ハングル字母の7番目の文字。名称は「シオッ」で、歯の模様を模して作った字。

ㅆ : 한글 자모 'ㅅ'을 겹쳐 쓴 글자. 이름은 쌍시옷으로, 'ㅅ'의 된소리이다.

サンシオッ

ハングル字母の「ㅅ」を重ねて書いた文字。名称は「サンシオッ」で、「ㅅ」の硬音である。

ㅎ : 한글 자모의 열넷째 글자. 이름은 '히읗'으로, 이 글자의 소리는 목청에서 나므로 목구멍을 본떠 만든 'ㅇ'의 경우와 같지만 'ㅇ'보다 더 세게 나므로 'ㅇ'에 획을 더하여 만든 글자이다.

対訳語無し

ハングル字母の14番目の文字。名称は「ヒウッ」で、この字の音は喉から出るため、喉の形をかたどって作った「ㅇ」の場合と同じだが、「ㅇ」より音が強く、「ㅇ」にさらに一画を加えて作った文字。

ㅁ : 한글 자모의 다섯째 글자. 이름은 '미음'으로, 소리를 낼 때 다물어지는 두 입술 모양을 본떠서 만든 글자이다.

対訳語無し

ハングル字母の5番目の文字。名称は「ミウム」で、音を出す時につぐまれる唇の模様を真似て作った字。

ㄴ : 한글 자모의 둘째 글자. 이름은 '니은'으로 소리를 낼 때 혀끝이 윗잇몸에 붙는 모양을 본떠 만든 글자이다.
対訳語無し
ハングル字母の2番目の文字。名称は「ニウン」で、音を出すとき舌先が上歯茎につく模様をまねして作った文字。

ㅇ : 한글 자모의 여덟째 글자. 이름은 '이응'으로 목구멍의 모양을 본떠서 만든 글자이다. 초성으로 쓰일 때 소리가 없다.
対訳語無し
ハングル字母の8番目の文字。名称は「イウン」で、喉の丸い形をかたどって作った字である。初声で使われる時は発音しない。

ㄹ : 한글 자모의 넷째 글자. 이름은 '리을'로 혀끝을 윗잇몸에 가볍게 대었다가 떼면서 내는 소리를 나타낸다.
対訳語無し
ハングル字母の4番目の文字。名称は「リウル」で、舌先を上の歯茎に軽くつけてから離して出す音を表す。

자음 열아홉 개 소리

자음 (めいし) : 목, 입, 혀 등의 발음 기관에 의해 장애를 받으며 나는 소리.
しいん・しおん【子音】
喉・口・舌などの発音器官に妨げられて発せられる音。

열아홉 : 19

개 (めいし) : 낱으로 떨어진 물건을 세는 단위.
こ【個】
個々になっているものを数える単位。

소리 (めいし) : 물체가 진동하여 생긴 음파가 귀에 들리는 것.
おと【音】
物体が振動してできた音波が耳に聞こえること。

아 어 오 우 으 이 애 에 외 위 야 여 요 유 얘 예 와 워 왜 웨 의

ㅏ : 한글 자모의 열다섯째 글자. 이름은 '아'이고 중성으로 쓴다.
対訳語無し
ハングル字母の15番目の文字。名称は「ア」で、「中声（母音）」として使われる。

ㅓ : 한글 자모의 열일곱째 글자. 이름은 '어'이고 중성으로 쓴다.
対訳語無し
ハングル字母の17番目の文字。名称は「オ」で、「中声（母音）」として使われる。

ㅗ : 한글 자모의 열아홉째 글자. 이름은 '오'이고 중성으로 쓴다.
対訳語無し
ハングル字母の19番目の文字。名称は「オ」で、「中声（母音）」として使われる。

ㅜ : 한글 자모의 스물한째 글자. 이름은 '우'이고 중성으로 쓴다.
対訳語無し
ハングル字母の21番目の文字。名称は「ウ」で、「中声（母音）」として使われる。

ㅡ : 한글 자모의 스물셋째 글자. 이름은 '으'이고 중성으로 쓴다.
対訳語無し
ハングル字母の23番目の文字。名称は「ウ」で、「中声（母音）」として使われる。

ㅣ : 한글 자모의 스물넷째 글자. 이름은 '이'이고 중성으로 쓴다.
対訳語無し
ハングル字母の24番目の文字。名称は「イ」で、「中声（母音）」として使われる。

ㅐ : 한글 자모 'ㅏ'와 'ㅣ'를 모아 쓴 글자. 이름은 '애'이고 중성으로 쓴다.
対訳語無し
ハングル字母の「ㅏ」と「ㅣ」を合わせて書いた文字。名称は「エ」で、「中声（母音）」として使われる。

ㅔ : 한글 자모 'ㅓ'와 'ㅣ'를 모아 쓴 글자. 이름은 '에'이고 중성으로 쓴다.
対訳語無し
ハングル字母の「ㅓ」と「ㅣ」を合わせて書いた文字。名称は「エ」で、「中声（母音）」として使われる。

ㅚ : 한글 자모 'ㅗ'와 'ㅣ'를 모아 쓴 글자. 이름은 '외'이고 중성으로 쓴다.
対訳語無し
ハングル字母の「ㅗ」と「ㅣ」を合わせて書いた文字。名称は「ウェ」で、「中声（二重母音）」として使われる。

ㅟ : 한글 자모 'ㅜ'와 'ㅣ'를 모아 쓴 글자. 이름은 '위'이고 중성으로 쓴다.
対訳語無し
ハングル字母の「ㅜ」と「ㅣ」を合わせて書いた文字。名称は「ウィ」で、「中声（二重母音）」として使われる。

ㅑ : 한글 자모의 열여섯째 글자. 이름은 '야'이고 중성으로 쓴다.
対訳語無し
ハングル字母の16番目の文字。名称は「ヤ」で、「中声（母音）」として使われる。

ㅕ : 한글 자모의 열여덟째 글자. 이름은 '여'이고 중성으로 쓴다.
対訳語無し
ハングル字母の18番目の文字。名称は「ヨ」で、「中声（母音）」として使われる。

ㅛ : 한글 자모의 스무째 글자. 이름은 '요'이고 중성으로 쓴다.
対訳語無し
ハングル字母の20番目の文字。名称は「ㅛ」で、「中声 (母音) 」として使われる。

ㅠ : 한글 자모의 스물두째 글자. 이름은 '유'이고 중성으로 쓴다.
対訳語無し
ハングル字母の22番目の文字。名称は「ㅠ」で、「中声 (母音) 」として使われる。

ㅒ : 한글 자모 'ㅑ'와 'ㅣ'를 모아 쓴 글자. 이름은 '얘'이고 중성으로 쓴다.
対訳語無し
ハングル字母の「ㅑ」と「ㅣ」を合わせて書いた文字。名称は「ㅒ」で、「中声 (二重母音) 」として使われる。

ㅖ : 한글 자모 'ㅕ'와 'ㅣ'를 모아 쓴 글자. 이름은 '예'이고 중성으로 쓴다.
対訳語無し
ハングル字母の「ㅕ」と「ㅣ」を合わせて書いた文字。名称は「ㅖ」で、「中声 (二重母音) 」として使われる。

ㅘ : 한글 자모 'ㅗ'와 'ㅏ'를 모아 쓴 글자. 이름은 '와'이고 중성으로 쓴다.
対訳語無し
ハングル字母の「ㅗ」と「ㅏ」を合わせて書いた文字。名称は「ㅘ」で、「中声 (二重母音) 」として使われる。

ㅝ : 한글 자모 'ㅜ'와 'ㅓ'를 모아 쓴 글자. 이름은 '워'이고 중성으로 쓴다.
対訳語無し
ハングル字母の「ㅜ」と「ㅓ」を合わせて書いた文字。名称は「ㅝ」で、「中声 (二重母音) 」として使われる。

ㅙ : 한글 자모 'ㅗ'와 'ㅐ'를 모아 쓴 글자. 이름은 '왜'이고 중성으로 쓴다.
対訳語無し
ハングル字母の「ㅗ」と「ㅐ」を合わせて書いた文字。名称は「ㅙ」で、「中声 (二重母音) 」として使われる。

ㅞ : 한글 자모 'ㅜ'와 'ㅔ'를 모아 쓴 글자. 이름은 '웨'이고 중성으로 쓴다.
対訳語無し
ハングル字母の「ㅜ」と「ㅔ」を合わせて書いた文字。名称は「ㅞ」で、「中声 (二重母音) 」として使われる。

ㅢ : 한글 자모 'ㅡ'와 'ㅣ'를 모아 쓴 글자. 이름은 '의'이고 중성으로 쓴다.
対訳語無し
ハングル字母の「ㅡ」と「ㅣ」を合わせて書いた文字。名称は「ㅢ」で、「中声 (二重母音) 」として使われる。

모음 스물한 개 소리

모음 (めいし) : 사람이 목청을 울려 내는 소리로, 공기의 흐름이 방해를 받지 않고 나는 소리.
ぼいん・ぼおん【母音】
人が声帯を響かせて出す音で、空気の流れが妨害を受けずに出る音。

스물한 : 21

개 (めいし) : 낱으로 떨어진 물건을 세는 단위.
こ【個】
個々になっているものを数える単位。

소리 (めいし) : 물체가 진동하여 생긴 음파가 귀에 들리는 것.
おと【音】
物体が振動してできた音波が耳に聞こえること。

< 1 절(せつ【節】) >

다 같이 말하+[여 보]+아.
　　　　 말해 봐

다 (ふくし) : 남거나 빠진 것이 없이 모두.
ぜんぶ【全部】。すべて【全て】。みな【皆】。のこらず【残らず】。もれなく
残ったり、漏れたものがなく、全て。

같이 (ふくし) : 둘 이상이 함께.
いっしょに【一緒に】・ともに【共に】
二人以上が一緒に。

말하다 (どうし) : 어떤 사실이나 자신의 생각 또는 느낌을 말로 나타내다.
いう【言う】。かたる【語る】。はなす【話す】。のべる【述べる】
ある事実や自分の考え、または感情を言葉で表す。

-여 보다 : 앞의 말이 나타내는 행동을 시험 삼아 함을 나타내는 표현.
てみる
前の言葉の表す行動を試してやるという意を表す表現。

-아 : (두루낮춤으로) 어떤 사실을 서술하거나 물음, 명령, 권유를 나타내는 종결 어미.
する。である。するのか。しなさい。しよう。しましょう
(略待下称) ある事実を叙述したり質問・命令・勧誘の意を表す「終結語尾」。<めいれい【命令】>

아설순치후

아 → 어금니 (めいし) : 송곳니의 안쪽에 있는 크고 가운데가 오목한 이.
おくば【奥歯】。きゅうし【臼歯】
犬歯の奥にある、大きくて中央部がへこんでいる歯。

설 → 혀 (めいし) : 사람이나 동물의 입 안 아래쪽에 있는 길고 붉은 살덩어리.
した【舌】。べろ
人間や動物の口腔底にある、長くて赤い肉。

순 → 입술 (めいし) : 사람의 입 주위를 둘러싸고 있는 붉고 부드러운 살.
くちびる【唇】
人の口を囲む赤くて柔らかい皮膚。

치 → 이 (めいし) : 사람이나 동물의 입 안에 있으며 무엇을 물거나 음식물을 씹는 일을 하는 기관.
は【歯】。しが【歯牙】
人間や動物の口の中にあり、何かを嚙んだり食物を咀嚼したりする器官。

후 → 목구멍 (めいし) : 목 안쪽에서 몸속으로 나 있는 깊숙한 구멍.
のど【喉】。こうとう【喉頭】
口の奥から体内に通じる深い穴。

다 함께 부르(불ㄹ)+[어 보]+아.
불러 봐

다 (ふくし) : 남거나 빠진 것이 없이 모두.
ぜんぶ【全部】。すべて【全て】。みな【皆】。のこらず【残らず】。もれなく
残ったり、漏れたものがなく、全て。

함께 (ふくし) : 여럿이서 한꺼번에 같이.
いっしょに【一緒に】。ともに【共に】
複数の人がともに。

부르다 (どうし) : 곡조에 따라 노래하다.
うたう【歌う】
曲に合わせて歌を歌う。

-어 보다 : 앞의 말이 나타내는 행동을 시험 삼아 함을 나타내는 표현.
てみる
前の言葉の表す行動を試しにやるという意を表す表現。

-아 : (두루낮춤으로) 어떤 사실을 서술하거나 물음, 명령, 권유를 나타내는 종결 어미.
する。である。するのか。しなさい。しよう。しましょう
(略待下称) ある事実を叙述したり質問・命令・勧誘の意を表す「終結語尾」。<めいれい【命令】>

아설순치후

아 → 어금니 (めいし)：송곳니의 안쪽에 있는 크고 가운데가 오목한 이.
おくば【奥歯】。きゅうし【臼歯】
犬歯の奥にある、大きくて中央部がへこんでいる歯。

설 → 혀 (めいし)：사람이나 동물의 입 안 아래쪽에 있는 길고 붉은 살덩어리.
した【舌】。べろ
人間や動物の口腔底にある、長くて赤い肉。

순 → 입술 (めいし)：사람의 입 주위를 둘러싸고 있는 붉고 부드러운 살.
くちびる【唇】
人の口を囲む赤くて柔らかい皮膚。

치 → 이 (めいし)：사람이나 동물의 입 안에 있으며 무엇을 물거나 음식물을 씹는 일을 하는 기관.
は【歯】。しが【歯牙】
人間や動物の口の中にあり、何かを噛んだり食物を咀嚼したりする器官。

후 → 목구멍 (めいし)：목 안쪽에서 몸속으로 나 있는 깊숙한 구멍.
のど【喉】。こうとう【喉頭】
口の奥から体内に通じる深い穴。

우리 모두 느끼+[어 보]+아.
느껴 봐

우리 (だいめいし)：말하는 사람이 자기와 듣는 사람 또는 이를 포함한 여러 사람들을 가리키는 말.
わたくしたち【私達】
話し手が自分と聞き手、またそれを含めた複数の人たちを指す語。

모두 (ふくし)：빠짐없이 다.
みんな。みな【皆】。すべて
欠如なしに全部。

느끼다 (どうし)：특정한 대상이나 상황을 어떻다고 생각하거나 인식하다.
かんずる【感ずる】。かんじとる【感じ取る】。おもう【思う】
特定の対象や状況について考えたり認識したりする。

-어 보다：앞의 말이 나타내는 행동을 시험 삼아 함을 나타내는 표현.
てみる
前の言葉の表す行動を試しにやるという意を表す表現。

-아：(두루낮춤으로) 어떤 사실을 서술하거나 물음, 명령, 권유를 나타내는 종결 어미.
する。である。するのか。しなさい。しよう。しましょう
(略待下称) ある事実を叙述したり質問・命令・勧誘の意を表す「終結語尾」。<めいれい【命令】>

발음 기관+을 본뜨+ㄴ 기역, 니은, 미음, 시옷, 이응
본뜬

발음 기관 (めいし) : 말소리를 내는 데 쓰는 신체의 각 부분.
はつおんきかん【発音器官】。 はつおんき【発音器】。 おんせいきかん【音声器官】
音声を出すのに使われる身体の器官。

을 : 동작이 직접적으로 영향을 미치는 대상을 나타내는 조사.
を
動作が直接的に影響を及ぼす対象を表す助詞。

본뜨다 (どうし) : 이미 있는 것을 그대로 따라서 만들다.
まねる【真似る】。 もする【模する・摸する】
ある形に似せて作る。

-ㄴ : 앞의 말이 관형어의 기능을 하게 만들고 사건이나 동작이 완료되어 그 상태가 유지되고 있음을 나
타내는 어미.
た。ている
前の言葉に連体修飾語の機能を持たせ、出来事や動作が完了してその状態が続いているという意を表す語
尾。

기역 (めいし) : 한글 자모 'ㄱ'의 이름.
対訳語無し
ハングル字母の「ㄱ」の名称。

니은 (めいし) : 한글 자모 'ㄴ'의 이름.
対訳語無し
ハングル字母の「ㄴ」の名称。

미음 (めいし) : 한글 자모 'ㅁ'의 이름.
対訳語無し
ハングル字母の「ㅁ」の名称。

시옷 (めいし) : 한글 자모 'ㅅ'의 이름.
シオッ
ハングル字母の「ㅅ」の名称。

이응 (めいし) : 한글 자모 'ㅇ'의 이름.
イウン
ハングル字母の「ㅇ」の名称。

다섯 글자

다섯 (かんけいし) : 넷에 하나를 더한 수의.
ご【五】。いつつ【五つ】
四に一を足した数の。

글자 (めいし) : 말을 적는 기호.
じ【字】。もじ【文字】
言葉を書き記す記号。

세상+의 모든 소리+를 듣(들)+[어 보]+아.
들어 봐

세상 (めいし) : 지구 위 전체.
よ【世】。ちじょう【地上】
地球の上の全体。

의 : 앞의 말이 뒤의 말에 대하여 소유, 소속, 소재, 관계, 기원, 주체의 관계를 가짐을 나타내는 조사.
の
前の言葉が後ろの言葉に対し、所有、所在、関係、起源、主体の関係を持つことを表す助詞。

모든 (かんけいし) : 빠지거나 남는 것 없이 전부인.
すべての。あらゆる。ぜん【全】
欠落したり余ったりせず、全部であるさま。

소리 (めいし) : 물체가 진동하여 생긴 음파가 귀에 들리는 것.
おと【音】
物体が振動してできた音波が耳に聞こえること。

를 : 동작이 직접적으로 영향을 미치는 대상을 나타내는 조사.
を
動作が直接的に影響を及ぼす対象を表す助詞。

듣다 (どうし) : 귀로 소리를 알아차리다.
きく【聞く・聴く】
耳で音を感じ取る。

-어 보다 : 앞의 말이 나타내는 행동을 시험 삼아 함을 나타내는 표현.
てみる
前の言葉の表す行動を試しにやるという意を表す表現。

-아 : (두루낮춤으로) 어떤 사실을 서술하거나 물음, 명령, 권유를 나타내는 종결 어미.
する。である。するのか。しなさい。しよう。しましょう
(略待下称) ある事実を叙述したり質問・命令・勧誘の意を表す「終結語尾」。<めいれい【命令】>

또 하+[고 싶]+은 말+을 다 <u>외치</u>+[어 보]+아.
외쳐 봐

또 (ふくし) : 그 밖에 더.
また。ほかに【他に】。さらに。そのうえ【その上】
その他にさらに。

하다 (どうし) : 어떤 행동이나 동작, 활동 등을 행하다.
する【為る】。やる【遣る】。なす【成す・為す】
ある行動や動作、活動などを行う。

-고 싶다 : 앞의 말이 나타내는 행동을 하기를 원함을 나타내는 표현.
たい
前の言葉の表す行動をしたいという意を表す表現。

-은 : 앞의 말이 관형어의 기능을 하게 만들고 현재의 상태를 나타내는 어미.
た。ている
前の言葉に連体修飾語の機能を持たせ、現在の状態の意を表す語尾。

말 (めいし) : 생각이나 느낌을 표현하고 전달하는 사람의 소리.
ことば【言葉】
考えや感情を表現して伝える人の音声。

을 : 동작이 직접적으로 영향을 미치는 대상을 나타내는 조사.
を
動作が直接的に影響を及ぼす対象を表す助詞。

다 (ふくし) : 남거나 빠진 것이 없이 모두.
ぜんぶ【全部】。すべて【全て】。みな【皆】。のこらず【残らず】。もれなく
残ったり、漏れたものがなく、全て。

외치다 (どうし) : 큰 소리를 지르다.
さけぶ【叫ぶ】。わめく【喚く・叫く】。はりあげる【張り上げる】
大声を発する。

-어 보다 : 앞의 말이 나타내는 행동을 시험 삼아 함을 나타내는 표현.
てみる
前の言葉の表す行動を試しにやるという意を表す表現。

-아 : (두루낮춤으로) 어떤 사실을 서술하거나 물음, 명령, 권유를 나타내는 종결 어미.
する。である。するのか。しなさい。しよう。しましょう
(略待下称) ある事実を叙述したり質問・命令・勧誘の意を表す「終結語尾」。<めいれい【命令】>

신비롭(신비로우)+ㄴ 사연, 감추+었던 비밀
신비로운

신비롭다 (けいようし) : 보통의 생각으로는 이해할 수 없을 정도로 놀랍고 신기한 느낌이 있다.
しんぴだ【神秘だ】。しんぴてきだ【神秘的だ】
普通の考えでは理解できないほど驚異的で不思議な感じがする。

-ㄴ : 앞의 말이 관형어의 기능을 하게 만들고 현재의 상태를 나타내는 어미.
た
前の言葉に連体修飾語の機能を持たせ、現在の状態を表す「語尾」。

사연 (めいし) : 일어난 일의 앞뒤 사정과 까닭.
事情。経緯。エピソード
起こった出来事の前後の事情とわけ。

감추다 (どうし) : 어떤 사실이나 감정을 남이 모르도록 알리지 않고 비밀로 하다.
かくす【隠す】
ある事実や感情が知られないように秘密にする。

-었던 : 과거의 사건이나 상태를 다시 떠올리거나 그 사건이나 상태가 완료되지 않고 중단되었다는 의미
를 나타내는 표현.
た。ていた
過去の出来事や状態を回想したり、その出来事や状態が完了されずに中断したという意を表す表現。

비밀 (めいし) : 숨기고 있어 남이 모르는 일.
ひみつ【秘密】
隠していて、人に知られていないこと。

진실+을 전하+[여 주]+어.
전해 줘

진실 (めいし) : 순수하고 거짓이 없는 마음.
しんじつ【真実】。まこと【誠・真・実】。まごころ【真心】
純粋で偽りのない心。

을 : 동작이 직접적으로 영향을 미치는 대상을 나타내는 조사.
を
動作が直接的に影響を及ぼす対象を表す助詞。

전하다 (どうし) : 어떤 소식, 생각 등을 상대에게 알리다.
つたえる【伝える】。でんたつする【伝達する】
ある情報や考えなどを相手に知らせる。

-여 주다 : 남을 위해 앞의 말이 나타내는 행동을 함을 나타내는 표현.
てやる。てあげる。てくれる
他人のために前の言葉の表す行動をするという意を表す表現。

-어 : (두루낮춤으로) 어떤 사실을 서술하거나 물음, 명령, 권유를 나타내는 종결 어미.
のか。なさい。よう。ましょう
(略待下称) ある事実を叙述したり、質問・命令・勧誘の意を表す「終結語尾」。<めいれい【命令】>

< 후렴(くりかえし【繰り返し】) >

아 야 어 여 오 요 우 유 으 이

가 나 다 라 마 바 사 아 자 차 카 타 파 하

이제+부터 들리+[어 주]+어 너+의 마음+을.
　　　　　　들려 줘

이제 (めいし) : 말하고 있는 바로 이때.
いま【今】
言っている瞬間。

부터 : 어떤 일의 시작이나 처음을 나타내는 조사.
から。より
ある出来事の始まりや起点という意を表す助詞。

들리다 (どうし) : 듣게 하다.
きかせる【聞かせる】
聞くようにさせる。

-어 주다 : 남을 위해 앞의 말이 나타내는 행동을 함을 나타내는 표현.
てやる。てあげる。てくれる
他人のために前の言葉の表す行動をするという意を表す表現。

-어 : (두루낮춤으로) 어떤 사실을 서술하거나 물음, 명령, 권유를 나타내는 종결 어미.
のか。なさい。よう。ましょう
(略待下称) ある事実を叙述したり、質問・命令・勧誘の意を表す「終結語尾」。 **<めいれい【命令】>**

너 (だいめいし) : 듣는 사람이 친구나 아랫사람일 때, 그 사람을 가리키는 말.
おまえ【お前】。きみ【君】
聞き手が友人か目下の人である場合、その聞き手をさす語。

의 : 앞의 말이 뒤의 말에 대하여 소유, 소속, 소재, 관계, 기원, 주체의 관계를 가짐을 나타내는 조사.
の
前の言葉が後ろの言葉に対し、所有、所在、関係、起源、主体の関係を持つことを表す助詞。

마음 (めいし) : 기분이나 느낌.
こころ【心】。きぶん【気分】。きもち【気持ち】。かんじ【感じ】
気分や感じ。

을 : 동작이 직접적으로 영향을 미치는 대상을 나타내는 조사.
を
動作が直接的に影響を及ぼす対象を表す助詞。

지금+부터 <u>전하+[여 주]+어</u> 너+의 사랑+을.
전해 줘

지금 (めいし) : 말을 하고 있는 바로 이때.
いま【今】。ただいま【ただ今】
話をしているこの瞬間。または即時に。

부터 : 어떤 일의 시작이나 처음을 나타내는 조사.
から。より
ある出来事の始まりや起点という意を表す助詞。

전하다 (どうし) : 어떤 소식, 생각 등을 상대에게 알리다.
つたえる【伝える】。でんたつする【伝達する】
ある情報や考えなどを相手に知らせる。

-여 주다 : 남을 위해 앞의 말이 나타내는 행동을 함을 나타내는 표현.
てやる。てあげる。てくれる
他人のために前の言葉の表す行動をするという意を表す表現。

-어 : (두루낮춤으로) 어떤 사실을 서술하거나 물음, 명령, 권유를 나타내는 종결 어미.
のか。なさい。よう。ましょう
(略待下称) ある事実を叙述したり、質問・命令・勧誘の意を表す「終結語尾」。<めいれい【命令】>

너 (だいめいし) : 듣는 사람이 친구나 아랫사람일 때, 그 사람을 가리키는 말.
おまえ【お前】。きみ【君】
聞き手が友人か目下の人である場合、その聞き手をさす語。

의 : 앞의 말이 뒤의 말에 대하여 소유, 소속, 소재, 관계, 기원, 주체의 관계를 가짐을 나타내는 조사.
の
前の言葉が後ろの言葉に対し、所有、所在、関係、起源、主体の関係を持つことを表す助詞。

사랑 (めいし) : 아끼고 소중히 여겨 정성을 다해 위하는 마음.
あい【愛】。いつくしみ【慈しみ】。あいじょう【愛情】
可愛がって大事にする心。

을 : 동작이 직접적으로 영향을 미치는 대상을 나타내는 조사.
を
動作が直接的に影響を及ぼす対象を表す助詞。

아 야 어 여 오 요 우 유 으 이

가 나 다 라 마 바 사 아 자 차 카 타 파 하

모음 스물하나+에 자음 열아홉+을 <u>더하+여</u>
더해

모음 (めいし) : 사람이 목청을 울려 내는 소리로, 공기의 흐름이 방해를 받지 않고 나는 소리.
ぼいん・ぼおん【母音】
人が声帯を響かせて出す音で、空気の流れが妨害を受けずに出る音。

스물하나 : 21

에 : 앞말에 무엇이 더해짐을 나타내는 조사.
に
前の言葉に何かが加えられることを表す助詞。

자음 (めいし) : 목, 입, 혀 등의 발음 기관에 의해 장애를 받으며 나는 소리.
しいん・しおん【子音】
喉・口・舌などの発音器官に妨げられて発せられる音。

열아홉 : 19

을 : 동작 대상의 수량이나 동작의 순서를 나타내는 조사.
を
動作の対象の数量や動作の順番を表す助詞。

더하다 (どうし) : 보태어 늘리거나 많게 하다.
たす【足す】。くわえる【加える】
補ったり増やしたりして多くする。

-여 : 앞의 말이 뒤의 말보다 먼저 일어났거나 뒤의 말에 대한 방법이나 수단이 됨을 나타내는 연결 어미.
て。てから
前の事柄が後の事柄より先に行われたか、後の事柄の方法や手段になるという意を表す「連結語尾」。

마흔 가지 소리+로 세상+을 느끼+[어 보]+아.
느껴 봐

마흔 (かんけいし) : 열의 네 배가 되는 수의.
しじゅう・よんじゅう【四十】
10の4倍の数の。

가지 (めいし) : 사물의 종류를 헤아리는 말.
しゅるい【種類】。しゅ【種】
物の種類を数える語。

소리 (めいし) : 물체가 진동하여 생긴 음파가 귀에 들리는 것.
おと【音】
物体が振動してできた音波が耳に聞こえること。

로 : 어떤 일의 수단이나 도구를 나타내는 조사.
で。に
ある動作を行うための手段や道具を表す助詞。

세상 (めいし) : 지구 위 전체.
よ【世】。ちじょう【地上】
地球の上の全体。

을 : 동작이 직접적으로 영향을 미치는 대상을 나타내는 조사.
を
動作が直接的に影響を及ぼす対象を表す助詞。

느끼다 (どうし) : 특정한 대상이나 상황을 어떻다고 생각하거나 인식하다.
かんずる【感ずる】。 かんじとる【感じ取る】。 おもう【思う】
特定の対象や状況について考えたり認識したりする。

-어 보다 : 앞의 말이 나타내는 행동을 시험 삼아 함을 나타내는 표현.
てみる
前の言葉の表す行動を試しにやるという意を表す表現。

-아 : (두루낮춤으로) 어떤 사실을 서술하거나 물음, 명령, 권유를 나타내는 종결 어미.
する。 である。 するのか。 しなさい。 しよう。 しましょう
(略待下称) ある事実を叙述したり質問・命令・勧誘の意を表す「終結語尾」。 <めいれい【命令】>

< 2 절(せつ【節】) >

하늘+과 땅+이 만나+(아) ㅗ, ㅜ
　　　　　　　만나

하늘 (めいし) : 땅 위로 펼쳐진 무한히 넓은 공간.
てん【天】。 そら【空】
地上に無限に広がる空間。

과 : 앞과 뒤의 명사를 같은 자격으로 이어 줄 때 쓰는 조사.
と
前後の名詞を同等な資格でつなぐ時に用いる助詞。

땅 (めいし) : 지구에서 물로 된 부분이 아닌 흙이나 돌로 된 부분.
ち【地】。 とち【土地】。 じめん【地面】。 だいち【大地】
地球で水から成っている部分ではなく、土や石から成っている部分。

이 : 어떤 상태나 상황의 대상이나 동작의 주체를 나타내는 조사.
が
ある状態・状況の対象や動作の主体を表す助詞。

만나다 (どうし) : 선이나 길, 강 등이 서로 마주 닿거나 연결되다.
おちあう【落ち合う】
線や道、川などが互いに接し合っている、またはつながっている。

-아 : 앞의 말이 뒤의 말보다 먼저 일어났거나 뒤의 말에 대한 방법이나 수단이 됨을 나타내는 연결 어미.
て
前の事柄が後の事柄より先に行われたか、後の事柄の方法や手段になるという意を表す「連結語尾」。

ㅗ (めいし)：한글 자모의 열아홉째 글자. 이름은 '오'이고 중성으로 쓴다.
対訳語無し
ハングル字母の19番目の文字。名称は「オ」で、「中声（母音）」として使われる。

ㅜ (めいし)：한글 자모의 스물한째 글자. 이름은 '우'이고 중성으로 쓴다.
対訳語無し
ハングル字母の21番目の文字。名称は「ウ」で、「中声（母音）」として使われる。

사람+과 만나+ㄴ다면 ㅏ, ㅓ
　　　만난다면

사람 (めいし)：생각할 수 있으며 언어와 도구를 만들어 사용하고 사회를 이루어 사는 존재.
ひと【人】。にんげん【人間】。じんるい【人類】
考える力があり、言語と道具を使い、社会を作って生きる存在。

과：누군가를 상대로 하여 어떤 일을 할 때 그 상대임을 나타내는 조사.
と
誰かにあることをする時に、その相手であることを表す助詞。

만나다 (どうし)：선이나 길, 강 등이 서로 마주 닿거나 연결되다.
おちあう【落ち合う】
線や道、川などが互いに接し合っている、またはつながっている。

-ㄴ다면：어떠한 사실이나 상황을 가정하는 뜻을 나타내는 연결 어미.
たら。なら。というなら
ある事実や状況を仮定するという意を表す「連結語尾」。

ㅏ (めいし)：한글 자모의 열다섯째 글자. 이름은 '아'이고 중성으로 쓴다.
対訳語無し
ハングル字母の15番目の文字。名称は「ア」で、「中声（母音）」として使われる。

ㅓ (めいし)：한글 자모의 열일곱째 글자. 이름은 '어'이고 중성으로 쓴다.
対訳語無し
ハングル字母の17番目の文字。名称は「オ」で、「中声（母音）」として使われる。

하루+(이)+면+은 충분하+여.
　하루면은　　　충분해

하루 (めいし) : 밤 열두 시부터 다음 날 밤 열두 시까지의 스물네 시간.
いちにち【一日】
午前零時から午後12時までの24時間。

이다 : 주어가 지시하는 대상의 속성이나 부류를 지정하는 뜻을 나타내는 서술격 조사.
だ。である
主語が指す対象の属性や部類を指定する意を表す叙述格助詞。

-면 : 뒤에 오는 말에 대한 근거나 조건이 됨을 나타내는 연결 어미.
たら。なら。というなら
後にくる事柄に対する根拠や条件になるという意を表す「連結語尾」。

은 : 강조의 뜻을 나타내는 조사.
は
強調の意を表す助詞。

충분하다 (けいようし) : 모자라지 않고 넉넉하다.
じゅうぶんだ【十分だ・充分だ】。たりる【足りる】
不足がなく、余裕がある。

-여 : (두루낮춤으로) 어떤 사실을 서술하거나 물음, 명령, 권유를 나타내는 종결 어미.
のか。なさい。よう。ましょう
(略待下称) ある事実を叙述したり、質問・命令・勧誘の意を表す「終結語尾」。<じょじゅつ【叙述】>

하늘, 땅, 사람+을 본뜨+ㄴ 아 어 오 우 야 여 요 유 으 이
　　　　　　　본뜬

하늘 (めいし) : 땅 위로 펼쳐진 무한히 넓은 공간.
てん【天】。そら【空】
地上に無限に広がる空間。

땅 (めいし) : 지구에서 물로 된 부분이 아닌 흙이나 돌로 된 부분.
ち【地】。とち【土地】。じめん【地面】。だいち【大地】
地球で水から成っている部分ではなく、土や石から成っている部分。

사람 (めいし) : 생각할 수 있으며 언어와 도구를 만들어 사용하고 사회를 이루어 사는 존재.
ひと【人】。にんげん【人間】。じんるい【人類】
考える力があり、言語と道具を使い、社会を作って生きる存在。

을 : 동작이 직접적으로 영향을 미치는 대상을 나타내는 조사.
を
動作が直接的に影響を及ぼす対象を表す助詞。

본뜨다 (どうし) : 이미 있는 것을 그대로 따라서 만들다.
まねる【真似る】。もする【模する・摸する】
ある形に似せて作る。

-ㄴ : 앞의 말이 관형어의 기능을 하게 만들고 사건이나 동작이 완료되어 그 상태가 유지되고 있음을 나
　　　타내는 어미.
た。ている
前の言葉に連体修飾語の機能を持たせ、出来事や動作が完了してその状態が続いているという意を表す語
尾。

아 (めいし) : 한글 자모의 열다섯째 글자. 이름은 '아'이고 중성으로 쓴다.
対訳語無し
ハングル字母の15番目の文字。名称は「ア」で、「中声（母音）」として使われる。

어 (めいし) : 한글 자모의 열일곱째 글자. 이름은 '어'이고 중성으로 쓴다.
対訳語無し
ハングル字母の17番目の文字。名称は「オ」で、「中声（母音）」として使われる。

오 (めいし) : 한글 자모의 열아홉째 글자. 이름은 '오'이고 중성으로 쓴다.
対訳語無し
ハングル字母の19番目の文字。名称は「オ」で、「中声（母音）」として使われる。

우 (めいし) : 한글 자모의 스물한째 글자. 이름은 '우'이고 중성으로 쓴다.
対訳語無し
ハングル字母の21番目の文字。名称は「ウ」で、「中声（母音）」として使われる。

야 (めいし) : 한글 자모의 열여섯째 글자. 이름은 '야'이고 중성으로 쓴다.
対訳語無し
ハングル字母の16番目の文字。名称は「ヤ」で、「中声（母音）」として使われる。

여 (めいし) : 한글 자모의 열여덟째 글자. 이름은 '여'이고 중성으로 쓴다.
対訳語無し
ハングル字母の18番目の文字。名称は「ョ」で、「中声（母音）」として使われる。

요 (めいし) : 한글 자모의 스무째 글자. 이름은 '요'이고 중성으로 쓴다.
対訳語無し
ハングル字母の20番目の文字。名称は「ョ」で、「中声（母音）」として使われる。

유 (めいし) : 한글 자모의 스물두째 글자. 이름은 '유'이고 중성으로 쓴다.
対訳語無し
ハングル字母の22番目の文字。名称は「ュ」で、「中声（母音）」として使われる。

으 (めいし) : 한글 자모의 스물셋째 글자. 이름은 '으'이고 중성으로 쓴다.
対訳語無し
ハングル字母の23番目の文字。名称は「ウ」で、「中声（母音）」として使われる。

이 (めいし) : 한글 자모의 스물넷째 글자. 이름은 '이'이고 중성으로 쓴다.
対訳語無し
ハングル字母の24番目の文字。名称は「イ」で、「中声 (母音) 」として使われる。

열 글자

열 (determiner) : 아홉에 하나를 더한 수의.
とお・じゅう【十】
九つに一つを足した数の。

글자 (めいし) : 말을 적는 기호.
じ【字】。もじ【文字】
言葉を書き記す記号。

세상+의 모든 소리+를 듣(들)+[어 보]+아.
들어 봐

세상 (めいし) : 지구 위 전체.
よ【世】。ちじょう【地上】
地球の上の全体。

의 : 앞의 말이 뒤의 말에 대하여 소유, 소속, 소재, 관계, 기원, 주체의 관계를 가짐을 나타내는 조사.
の
前の言葉が後ろの言葉に対し、所有、所在、関係、起源、主体の関係を持つことを表す助詞。

모든 (かんけいし) : 빠지거나 남는 것 없이 전부인.
すべての。あらゆる。ぜん【全】
欠落したり余ったりせず、全部であるさま。

소리 (めいし) : 물체가 진동하여 생긴 음파가 귀에 들리는 것.
おと【音】
物体が振動してできた音波が耳に聞こえること。

를 : 동작이 직접적으로 영향을 미치는 대상을 나타내는 조사.
を
動作が直接的に影響を及ぼす対象を表す助詞。

듣다 (どうし) : 귀로 소리를 알아차리다.
きく【聞く・聴く】
耳で音を感じ取る。

-어 보다 : 앞의 말이 나타내는 행동을 시험 삼아 함을 나타내는 표현.
てみる
前の言葉の表す行動を試しにやるという意を表す表現。

-아 : (두루낮춤으로) 어떤 사실을 서술하거나 물음, 명령, 권유를 나타내는 종결 어미.
する。である。するのか。しなさい。しよう。しましょう
(略待下称) ある事実を叙述したり質問・命令・勧誘の意を表す「終結語尾」。<**めいれい【命令】**>

또 하+[고 싶]+은 말+을 다 외치+[어 보]+아.
외쳐 봐

또 (ふくし) : 그 밖에 더.
また。ほかに【他に】。さらに。そのうえ【その上】
その他にさらに。

하다 (どうし) : 어떤 행동이나 동작, 활동 등을 행하다.
する【為る】。やる【遣る】。なす【成す・為す】
ある行動や動作、活動などを行う。

-고 싶다 : 앞의 말이 나타내는 행동을 하기를 원함을 나타내는 표현.
たい
前の言葉の表す行動をしたいという意を表す表現。

-은 : 앞의 말이 관형어의 기능을 하게 만들고 현재의 상태를 나타내는 어미.
た。ている
前の言葉に連体修飾語の機能を持たせ、現在の状態の意を表す語尾。

말 (めいし) : 생각이나 느낌을 표현하고 전달하는 사람의 소리.
ことば【言葉】
考えや感情を表現して伝える人の音声。

을 : 동작이 직접적으로 영향을 미치는 대상을 나타내는 조사.
を
動作が直接的に影響を及ぼす対象を表す助詞。

다 (ふくし) : 남거나 빠진 것이 없이 모두.
ぜんぶ【全部】。すべて【全て】。みな【皆】。のこらず【残らず】。もれなく
残ったり、漏れたものがなく、全て。

외치다 (どうし) : 큰 소리를 지르다.
さけぶ【叫ぶ】。わめく【喚く・叫く】。はりあげる【張り上げる】
大声を発する。

-어 보다 : 앞의 말이 나타내는 행동을 시험 삼아 함을 나타내는 표현.
てみる
前の言葉の表す行動を試しにやるという意を表す表現。

-아 : (두루낮춤으로) 어떤 사실을 서술하거나 물음, 명령, 권유를 나타내는 종결 어미.
する。である。するのか。しなさい。しよう。しましょう
(略待下称) ある事実を叙述したり質問・命令・勧誘の意を表す「終結語尾」。<めいれい【命令】>

신비롭(신비로우)+ㄴ 사연, 감추+었던 비밀
신비로운

신비롭다 (けいようし) : 보통의 생각으로는 이해할 수 없을 정도로 놀랍고 신기한 느낌이 있다.
しんぴだ【神秘だ】。しんぴてきだ【神秘的だ】
普通の考えでは理解できないほど驚異的で不思議な感じがする。

-ㄴ : 앞의 말이 관형어의 기능을 하게 만들고 현재의 상태를 나타내는 어미.
た
前の言葉に連体修飾語の機能を持たせ、現在の状態を表す「語尾」。

사연 (めいし) : 일어난 일의 앞뒤 사정과 까닭.
事情。経緯。エピソード
起こった出来事の前後の事情とわけ。

감추다 (どうし) : 어떤 사실이나 감정을 남이 모르도록 알리지 않고 비밀로 하다.
かくす【隠す】
ある事実や感情が知られないように秘密にする。

-었던 : 과거의 사건이나 상태를 다시 떠올리거나 그 사건이나 상태가 완료되지 않고 중단되었다는 의미를 나타내는 표현.
た。ていた
過去の出来事や状態を回想したり、その出来事や状態が完了されずに中断したという意を表す表現。

비밀 (めいし) : 숨기고 있어 남이 모르는 일.
ひみつ【秘密】
隠していて、人に知られていないこと。

진실+을 전하+[여 주]+어.
전해 줘

진실 (めいし) : 순수하고 거짓이 없는 마음.
しんじつ【真実】。まこと【誠・真・実】。まごころ【真心】
純粋で偽りのない心。

을 : 동작이 직접적으로 영향을 미치는 대상을 나타내는 조사.
を
動作が直接的に影響を及ぼす対象を表す助詞。

전하다 (どうし) : 어떤 소식, 생각 등을 상대에게 알리다.
つたえる【伝える】。でんたつする【伝達する】
ある情報や考えなどを相手に知らせる。

-여 주다 : 남을 위해 앞의 말이 나타내는 행동을 함을 나타내는 표현.
てやる。てあげる。てくれる
他人のために前の言葉の表す行動をするという意を表す表現。

-어 : (두루낮춤으로) 어떤 사실을 서술하거나 물음, 명령, 권유를 나타내는 종결 어미.
のか。なさい。よう。ましょう
(略待下称) ある事実を叙述したり、質問・命令・勧誘の意を表す「終結語尾」。<めいれい【命令】>

< 후렴(くりかえし【繰り返し】) >

아 야 어 여 오 요 우 유 으 이

가 나 다 라 마 바 사 아 자 차 카 타 파 하

이제+부터 들리+[어 주]+어 너+의 마음+을.
　　　　　　 들려 줘

이제 (めいし) : 말하고 있는 바로 이때.
いま【今】
言っている瞬間。

부터 : 어떤 일의 시작이나 처음을 나타내는 조사.
から。より
ある出来事の始まりや起点という意を表す助詞。

들리다 (どうし) : 듣게 하다.
きかせる【聞かせる】
聞くようにさせる。

-어 주다 : 남을 위해 앞의 말이 나타내는 행동을 함을 나타내는 표현.
てやる。てあげる。てくれる
他人のために前の言葉の表す行動をするという意を表す表現。

-어 : (두루낮춤으로) 어떤 사실을 서술하거나 물음, 명령, 권유를 나타내는 종결 어미.
のか。なさい。よう。ましょう
(略待下称) ある事実を叙述したり、質問・命令・勧誘の意を表す「終結語尾」。<めいれい【命令】>

너 (だいめいし) : 듣는 사람이 친구나 아랫사람일 때, 그 사람을 가리키는 말.
おまえ【お前】。きみ【君】
聞き手が友人か目下の人である場合、その聞き手をさす語。

의 : 앞의 말이 뒤의 말에 대하여 소유, 소속, 소재, 관계, 기원, 주체의 관계를 가짐을 나타내는 조사.
の
前の言葉が後ろの言葉に対し、所有、所在、関係、起源、主体の関係を持つことを表す助詞。

마음 (めいし) : 기분이나 느낌.
こころ【心】。きぶん【気分】。きもち【気持ち】。かんじ【感じ】
気分や感じ。

을 : 동작이 직접적으로 영향을 미치는 대상을 나타내는 조사.
を
動作が直接的に影響を及ぼす対象を表す助詞。

지금+부터 전하+[여 주]+어 너+의 사랑+을.
전해 줘

지금 (めいし) : 말을 하고 있는 바로 이때.
いま【今】。ただいま【ただ今】
話をしているこの瞬間。または即時に。

부터 : 어떤 일의 시작이나 처음을 나타내는 조사.
から。より
ある出来事の始まりや起点という意を表す助詞。

전하다 (どうし) : 어떤 소식, 생각 등을 상대에게 알리다.
つたえる【伝える】。でんたつする【伝達する】
ある情報や考えなどを相手に知らせる。

-여 주다 : 남을 위해 앞의 말이 나타내는 행동을 함을 나타내는 표현.
てやる。てあげる。てくれる
他人のために前の言葉の表す行動をするという意を表す表現。

-어 : (두루낮춤으로) 어떤 사실을 서술하거나 물음, 명령, 권유를 나타내는 종결 어미.
のか。なさい。よう。ましょう
(略待下称) ある事実を叙述したり、質問・命令・勧誘の意を表す「終結語尾」。<めいれい【命令】>

너 (だいめいし) : 듣는 사람이 친구나 아랫사람일 때, 그 사람을 가리키는 말.
おまえ【お前】。きみ【君】
聞き手が友人か目下の人である場合、その聞き手をさす語。

의 : 앞의 말이 뒤의 말에 대하여 소유, 소속, 소재, 관계, 기원, 주체의 관계를 가짐을 나타내는 조사.
の
前の言葉が後ろの言葉に対し、所有、所在、関係、起源、主体の関係を持つことを表す助詞。

사랑 (めいし) : 아끼고 소중히 여겨 정성을 다해 위하는 마음.
あい【愛】。いつくしみ【慈しみ】。あいじょう【愛情】
可愛がって大事にする心。

을 : 동작이 직접적으로 영향을 미치는 대상을 나타내는 조사.
を
動作が直接的に影響を及ぼす対象を表す助詞。

아 야 어 여 오 요 우 유 으 이

가 나 다 라 마 바 사 아 자 차 카 타 파 하

모음 스물하나+에 자음 열아홉+을 더하+여
더해

모음 (めいし) : 사람이 목청을 울려 내는 소리로, 공기의 흐름이 방해를 받지 않고 나는 소리.
ぼいん・ぼおん【母音】
人が声帯を響かせて出す音で、空気の流れが妨害を受けずに出る音。

스물하나 : 21

에 : 앞말에 무엇이 더해짐을 나타내는 조사.
に
前の言葉に何かが加えられることを表す助詞。

자음 (めいし) : 목, 입, 혀 등의 발음 기관에 의해 장애를 받으며 나는 소리.
しいん・しおん【子音】
喉・口・舌などの発音器官に妨げられて発せられる音。

열아홉 : 19

을 : 동작 대상의 수량이나 동작의 순서를 나타내는 조사.
を
動作の対象の数量や動作の順番を表す助詞。

더하다 (どうし) : 보태어 늘리거나 많게 하다.
たす【足す】。くわえる【加える】
補ったり増やしたりして多くする。

-여 : 앞의 말이 뒤의 말보다 먼저 일어났거나 뒤의 말에 대한 방법이나 수단이 됨을 나타내는 연결 어미.
て。てから
前の事柄が後の事柄より先に行われたか、後の事柄の方法や手段になるという意を表す「連結語尾」。

마흔 가지 소리+로 세상+을 느끼+[어 보]+아.
느껴 봐

마흔 (かんけいし) : 열의 네 배가 되는 수의.
しじゅう・よんじゅう【四十】
10の4倍の数の。

가지 (めいし) : 사물의 종류를 헤아리는 말.
しゅるい【種類】。しゅ【種】
物の種類を数える語。

소리 (めいし) : 물체가 진동하여 생긴 음파가 귀에 들리는 것.
おと【音】
物体が振動してできた音波が耳に聞こえること。

로 : 어떤 일의 수단이나 도구를 나타내는 조사.
で。に
ある動作を行うための手段や道具を表す助詞。

세상 (めいし) : 지구 위 전체.
よ【世】。ちじょう【地上】
地球の上の全体。

을 : 동작이 직접적으로 영향을 미치는 대상을 나타내는 조사.
を
動作が直接的に影響を及ぼす対象を表す助詞。

느끼다 (どうし) : 특정한 대상이나 상황을 어떻다고 생각하거나 인식하다.
かんずる【感ずる】。 かんじとる【感じ取る】。 おもう【思う】
特定の対象や状況について考えたり認識したりする。

-어 보다 : 앞의 말이 나타내는 행동을 시험 삼아 함을 나타내는 표현.
てみる
前の言葉の表す行動を試しにやるという意を表す表現。

-아 : (두루낮춤으로) 어떤 사실을 서술하거나 물음, 명령, 권유를 나타내는 종결 어미.
する。 である。 するのか。 しなさい。 しよう。 しましょう
(略待下称) ある事実を叙述したり質問・命令・勧誘の意を表す「終結語尾」。 <めいれい【命令】>

< 후렴(くりかえし【繰り返し】) >

들리+[어 주]+어요.
   들려 줘요

들리다 (どうし) : 듣게 하다.
きかせる【聞かせる】
聞くようにさせる。

-어 주다 : 남을 위해 앞의 말이 나타내는 행동을 함을 나타내는 표현.
てやる。 てあげる。 てくれる
他人のために前の言葉の表す行動をするという意を表す表現。

-어요 : (두루높임으로) 어떤 사실을 서술하거나 질문, 명령, 권유함을 나타내는 종결 어미.
ます。 です。 ますか。 ですか。 てください
(略待上称) ある事実を叙述したり質問、命令、勧誘する意を表す「終結語尾」。 <めいれい【命令】>

이 소리 들리+나요?

이 (かんけいし) : 말하는 사람에게 가까이 있거나 말하는 사람이 생각하고 있는 대상을 가리키는 말.
この
話し手の近くにあるか、話し手が考えている対象を指す語。

소리 (めいし) : 물체가 진동하여 생긴 음파가 귀에 들리는 것.
おと【音】
物体が振動してできた音波が耳に聞こえること。

들리다 (どうし) : 소리가 귀를 통해 알아차려지다.
きこえる【聞こえる】
音が耳に入る。

-나요 : (두루높임으로) 앞의 내용에 대해 상대방에게 물어볼 때 쓰는 표현.
ですか。ますか
(略待上称) 前の内容について相手に尋ねるのに用いる表現。

달콤하+게, 부드럽+게 우리 모두 말하+[여 보]+아요.
말해 봐요

달콤하다 (けいようし) : 느낌이 좋고 기분이 좋다.
スイートだ
心地よくて快い。

-게 : 앞의 말이 뒤에서 가리키는 일의 목적이나 결과, 방식, 정도 등이 됨을 나타내는 연결 어미.
…く。…に。ように。ほど
前の事柄が後の事柄の目的・結果・方法・程度などになるという意を表す「連結語尾」。**<ほうしき【方式】>**

부드럽다 (けいようし) : 성격이나 마음씨, 태도 등이 다정하고 따뜻하다.
やさしい【優しい】。やわらかい【柔らかい】
性格や心遣い、態度などが人情深く温かい。

-게 : 앞의 말이 뒤에서 가리키는 일의 목적이나 결과, 방식, 정도 등이 됨을 나타내는 연결 어미.
…く。…に。ように。ほど
前の事柄が後の事柄の目的・結果・方法・程度などになるという意を表す「連結語尾」。**<ほうしき【方式】>**

우리 (だいめいし) : 말하는 사람이 자기와 듣는 사람 또는 이를 포함한 여러 사람들을 가리키는 말.
わたくしたち【私達】
話し手が自分と聞き手、またそれを含めた複数の人たちを指す語。

모두 (ふくし) : 빠짐없이 다.
みんな。みな【皆】。すべて
欠如なしに全部。

말하다 (どうし) : 어떤 사실이나 자신의 생각 또는 느낌을 말로 나타내다.
いう【言う】。かたる【語る】。はなす【話す】。のべる【述べる】
ある事実や自分の考え、または感情を言葉で表す。

-여 보다 : 앞의 말이 나타내는 행동을 시험 삼아 함을 나타내는 표현.
てみる
前の言葉の表す行動を試してやるという意を表す表現。

-아요 : (두루높임으로) 어떤 사실을 서술하거나 질문, 명령, 권유함을 나타내는 종결 어미.
ます。です。ますか。ですか。てください。
(略待上称) ある事実を叙述したり質問、命令、勧誘する意を表す「終結語尾」。 <めいれい【命令】>

아 야 어 여 오 요 우 유 으 이

가 나 다 라 마 바 사 아 자 차 카 타 파 하

이제+부터 들리+[어 주]+어 너+의 마음+을.
　　　　　　들려 줘

이제 (めいし) : 말하고 있는 바로 이때.
いま【今】
言っている瞬間。

부터 : 어떤 일의 시작이나 처음을 나타내는 조사.
から。より
ある出来事の始まりや起点という意を表す助詞。

들리다 (どうし) : 듣게 하다.
きかせる【聞かせる】
聞くようにさせる。

-어 주다 : 남을 위해 앞의 말이 나타내는 행동을 함을 나타내는 표현.
てやる。てあげる。てくれる
他人のために前の言葉の表す行動をするという意を表す表現。

-어 : (두루낮춤으로) 어떤 사실을 서술하거나 물음, 명령, 권유를 나타내는 종결 어미.
のか。なさい。よう。ましょう
(略待下称) ある事実を叙述したり、質問・命令・勧誘の意を表す「終結語尾」。 <めいれい【命令】>

너 (だいめいし) : 듣는 사람이 친구나 아랫사람일 때, 그 사람을 가리키는 말.
おまえ【お前】。きみ【君】
聞き手が友人か目下の人である場合、その聞き手をさす語。

의 : 앞의 말이 뒤의 말에 대하여 소유, 소속, 소재, 관계, 기원, 주체의 관계를 가짐을 나타내는 조사.
の
前の言葉が後ろの言葉に対し、所有、所在、関係、起源、主体の関係を持つことを表す助詞。

마음 (めいし) : 기분이나 느낌.
こころ【心】。きぶん【気分】。きもち【気持ち】。かんじ【感じ】
気分や感じ。

을 : 동작이 직접적으로 영향을 미치는 대상을 나타내는 조사.
を
動作が直接的に影響を及ぼす対象を表す助詞。

지금+부터 전하+[여 주]+어 너+의 사랑+을.
전해 줘

지금 (めいし) : 말을 하고 있는 바로 이때.
いま【今】。ただいま【ただ今】
話をしているこの瞬間。または即時に。

부터 : 어떤 일의 시작이나 처음을 나타내는 조사.
から。より
ある出来事の始まりや起点という意を表す助詞。

전하다 (どうし) : 어떤 소식, 생각 등을 상대에게 알리다.
つたえる【伝える】。でんたつする【伝達する】
ある情報や考えなどを相手に知らせる。

-여 주다 : 남을 위해 앞의 말이 나타내는 행동을 함을 나타내는 표현.
てやる。てあげる。てくれる
他人のために前の言葉の表す行動をするという意を表す表現。

-어 : (두루낮춤으로) 어떤 사실을 서술하거나 물음, 명령, 권유를 나타내는 종결 어미.
のか。なさい。よう。ましょう
(略待下称) ある事実を叙述したり、質問・命令・勧誘の意を表す「終結語尾」。<**めいれい【命令】**>

너 (だいめいし) : 듣는 사람이 친구나 아랫사람일 때, 그 사람을 가리키는 말.
おまえ【お前】。きみ【君】
聞き手が友人か目下の人である場合、その聞き手をさす語。

의 : 앞의 말이 뒤의 말에 대하여 소유, 소속, 소재, 관계, 기원, 주체의 관계를 가짐을 나타내는 조사.
の
前の言葉が後ろの言葉に対し、所有、所在、関係、起源、主体の関係を持つことを表す助詞。

사랑 (めいし) : 아끼고 소중히 여겨 정성을 다해 위하는 마음.
あい【愛】。いつくしみ【慈しみ】。あいじょう【愛情】
可愛がって大事にする心。

을 : 동작이 직접적으로 영향을 미치는 대상을 나타내는 조사.
を
動作が直接的に影響を及ぼす対象を表す助詞。

아 야 어 여 오 요 우 유 으 이

가 나 다 라 마 바 사 아 자 차 카 타 파 하

모음 스물하나+에 자음 열아홉+을 <u>더하+여</u>
　　　　　　　　　　　　　　　　　더해

모음 (めいし) : 사람이 목청을 울려 내는 소리로, 공기의 흐름이 방해를 받지 않고 나는 소리.
ぼいん・ぼおん【母音】
人が声帯を響かせて出す音で、空気の流れが妨害を受けずに出る音。

스물하나 : 21

에 : 앞말에 무엇이 더해짐을 나타내는 조사.
に
前の言葉に何かが加えられることを表す助詞。

자음 (めいし) : 목, 입, 혀 등의 발음 기관에 의해 장애를 받으며 나는 소리.
しいん・しおん【子音】
喉・口・舌などの発音器官に妨げられて発せられる音。

열아홉 : 19

을 : 동작 대상의 수량이나 동작의 순서를 나타내는 조사.
を
動作の対象の数量や動作の順番を表す助詞。

더하다 (どうし) : 보태어 늘리거나 많게 하다.
たす【足す】。くわえる【加える】
補ったり増やしたりして多くする。

-여 : 앞의 말이 뒤의 말보다 먼저 일어났거나 뒤의 말에 대한 방법이나 수단이 됨을 나타내는 연결 어미.
て。てから
前の事柄が後の事柄より先に行われたか、後の事柄の方法や手段になるという意を表す「連結語尾」。

마흔 가지 소리+로 세상+을 느끼+[어 보]+아.
느껴 봐

마흔 (かんけいし) : 열의 네 배가 되는 수의.
しじゅう・よんじゅう【四十】
10の4倍の数の。

가지 (めいし) : 사물의 종류를 헤아리는 말.
しゅるい【種類】。しゅ【種】
物の種類を数える語。

소리 (めいし) : 물체가 진동하여 생긴 음파가 귀에 들리는 것.
おと【音】
物体が振動してできた音波が耳に聞こえること。

로 : 어떤 일의 수단이나 도구를 나타내는 조사.
で。に
ある動作を行うための手段や道具を表す助詞。

세상 (めいし) : 지구 위 전체.
よ【世】。ちじょう【地上】
地球の上の全体。

을 : 동작이 직접적으로 영향을 미치는 대상을 나타내는 조사.
を
動作が直接的に影響を及ぼす対象を表す助詞。

느끼다 (どうし) : 특정한 대상이나 상황을 어떻다고 생각하거나 인식하다.
かんずる【感ずる】。かんじとる【感じ取る】。おもう【思う】
特定の対象や状況について考えたり認識したりする。

-어 보다 : 앞의 말이 나타내는 행동을 시험 삼아 함을 나타내는 표현.
てみる
前の言葉の表す行動を試しにやるという意を表す表現。

-아 : (두루낮춤으로) 어떤 사실을 서술하거나 물음, 명령, 권유를 나타내는 종결 어미.
する。である。するのか。しなさい。しよう。しましょう
(略待下称) ある事実を叙述したり質問・命令・勧誘の意を表す「終結語尾」。<めいれい【命令】>

< 2 >

과일송

과일(くだもの・かぶつ【果物】)
송(うた【歌・唄】)

[발음(はつおん【発音】)]

< 1 절(せつ【節】) >

맛있는 과일 과일 과일
마신는 과일 과일 과일
masinneun gwail gwail gwail

아삭아삭 과일 과일
아삭아삭 과일 과일
asagasak gwail gwail

먹고 싶어 과일 과일
먹꼬 시퍼 과일 과일
meokgo sipeo gwail gwail

빨간색 딸기 사과 앵두
빨간색 딸기 사과 앵두
ppalgansaek ttalgi sagwa aengdu

노란색 참외 레몬 망고
노란색 참외 레몬 망고
noransaek chamoe remon manggo

초록색 수박 매실 멜론
초록쌕 수박 매실 멜론
choroksaek subak maesil mellon

보라색 포도 자두 오디
보라색 포도 자두 오디
borasaek podo jadu odi

맛이 어때요?
마시 어때요?
masi eottaeyo?

달아요 달아요 달아요
다라요 다라요 다라요
darayo darayo darayo

맛이 어때요?
마시 어때요?
masi eottaeyo?

달콤해 달콤해 달콤해
달콤해 달콤해 달콤해
dalkomhae dalkomhae dalkomhae

어때요? 어때요?
어때요? 어때요?
eottaeyo? eottaeyo?

달아요 셔요 달콤해 새콤해
다라요 셔요 달콤해 새콤해
darayo syeoyo dalkomhae saekomhae

< 2 절(せつ【節】) >

맛있는 과일 과일 과일
마신는 과일 과일 과일
masinneun gwail gwail gwail

아삭아삭 과일 과일
아삭아삭 과일 과일
asagasak gwail gwail

먹고 싶어 과일 과일
먹꼬 시퍼 과일 과일
meokgo sipeo gwail gwail

빨간색 딸기 사과 앵두
빨간색 딸기 사과 앵두
ppalgansaek ttalgi sagwa aengdu

노란색 참외 레몬 망고
노란색 참외 레몬 망고
noransaek chamoe remon manggo

초록색 수박 매실 멜론
초록쌕 수박 매실 멜론
choroksaek subak maesil mellon

보라색 포도 자두 오디
보라색 포도 자두 오디
borasaek podo jadu odi

맛이 어때요?
마시 어때요?
masi eottaeyo?

셔요 셔요 셔요
셔요 셔요 셔요
syeoyo syeoyo syeoyo

맛이 어때요?
마시 어때요?
masi eottaeyo?

새콤해 새콤해 새콤해
새콤해 새콤해 새콤해
saekomhae saekomhae saekomhae

어때요? 어때요?
어때요? 어때요?
eottaeyo? eottaeyo?

달아요 셔요 달콤해 새콤해
다라요 셔요 달콤해 새콤해
darayo syeoyo dalkomhae saekomhae

맛있는 과일 과일 과일
마신는 과일 과일 과일
masinneun gwail gwail gwail

아삭아삭 과일 과일
아삭아삭 과일 과일
asagasak gwail gwail

먹고 싶어 과일 과일
먹꼬 시퍼 과일 과일
meokgo sipeo gwail gwail

맛있는 과일 과일 과일
마신는 과일 과일 과일
masinneun gwail gwail gwail

아삭아삭 과일 과일
아삭아삭 과일 과일
asagasak gwail gwail

먹고 싶어 과일 과일
먹꼬 시퍼 과일 과일
meokgo sipeo gwail gwail

먹고 싶어 과일 과일
먹꼬 시퍼 과일 과일
meokgo sipeo gwail gwail

< 1 절(せつ【節】) >

맛있+는 과일 과일 과일.

맛있다 (けいようし) : 맛이 좋다.
おいしい【美味しい】。うまい【旨い・美味い】
味が良い。

-는 : 앞의 말이 관형어의 기능을 하게 만들고 사건이나 동작이 현재 일어남을 나타내는 어미.
する。ている
前の言葉に連体修飾語の機能を持たせ、出来事や動作が現在進行中であるという意を表す語尾。

과일 (めいし) : 사과, 배, 포도, 밤 등과 같이 나뭇가지나 줄기에 열리는 먹을 수 있는 열매.
くだもの・かぶつ【果物】。フルーツ
りんご・梨・ブドウ・栗の実など、木の枝や幹に実る、食べられる果実。

아삭아삭 과일 과일.

아삭아삭 (ふくし) : 연하고 싱싱한 과일이나 채소를 베어 물 때 나는 소리.
さくっと
柔らかくて新鮮な果物や野菜を噛む時の音。

과일 (めいし) : 사과, 배, 포도, 밤 등과 같이 나뭇가지나 줄기에 열리는 먹을 수 있는 열매.
くだもの・かぶつ【果物】。フルーツ
りんご・梨・ブドウ・栗の実など、木の枝や幹に実る、食べられる果実。

먹+[고 싶]+어, 과일 과일.

먹다 (どうし) : 음식 등을 입을 통하여 배 속에 들여보내다.
たべる【食べる】。くう【食う・喰う】。くらう【食らう】
食べ物を口の中に入れて飲み込む。

-고 싶다 : 앞의 말이 나타내는 행동을 하기를 원함을 나타내는 표현.
たい
前の言葉の表す行動をしたいという意を表す表現。

-어 : (두루낮춤으로) 어떤 사실을 서술하거나 물음, 명령, 권유를 나타내는 종결 어미.
のか。 なさい。 よう。 ましょう
(略待下称) ある事実を叙述したり、質問・命令・勧誘の意を表す「終結語尾」。 <じょじゅつ【叙述】>

과일 (めいし) : 사과, 배, 포도, 밤 등과 같이 나뭇가지나 줄기에 열리는 먹을 수 있는 열매.
くだもの・かぶつ【果物】。 フルーツ
りんご・梨・ブドウ・栗の実など、木の枝や幹に実る、食べられる果実。

빨간색 딸기 사과 앵두.

빨간색 (めいし) : 흐르는 피나 잘 익은 사과, 고추처럼 붉은 색.
あかいろ【赤色】。 あか【赤】
流れる血やよく熟したりんご・唐辛子のように赤い色。

딸기 (めいし) : 줄기가 땅 위로 뻗으며, 겉에 씨가 박혀 있는 빨간 열매가 열리는 여러해살이풀. 또는 그 열매.
いちご【苺】
幹が地上へ伸び、種が表にある、赤い実を結ぶ多年草。また、その実。

사과 (めいし) : 모양이 둥글고 붉으며 새콤하고 단맛이 나는 과일.
りんご【林檎】。 アップル
丸くて赤い、甘酸っぱい味のする果物。

앵두 (めいし) : 모양이 작고 둥글며 달콤하면서 신맛을 지닌 붉은색 과일.
さくらんぼう・さくらんぼ【桜ん坊・桜桃】。 おうとう【桜桃】
小さくて丸い形で甘酸っぱい味のする赤色の果実。

노란색 참외 레몬 망고.

노란색 (めいし) : 병아리나 바나나와 같은 색.
きいろ【黄色】。 イエロー
ひよこやバナナと同じ色。

참외 (めいし) : 색이 노랗고 단맛이 나며 주로 여름에 먹는 열매.
まくわうり【真桑瓜】
皮が黄色くて甘い味がする、夏によく食べる果物。

레몬 (めいし) : 신맛이 강하고 새콤한 향기가 나는 타원형의 노란색 열매.
レモン
酸味が強く、匂いがすっぱい、楕円形の黄色い実。

망고 (めいし) : 타원형에 과육이 노랗고 부드러우며 단맛이 나는 열대 과일.
マンゴー
楕円形に果肉は黄色くて柔らかく、甘みのある熱帯果物。

초록색 수박 매실 멜론.

초록색 (めいし) : 파랑과 노랑의 중간인, 짙은 풀과 같은 색.
みどり【緑】。みどりいろ【緑色】。くさいろ【草色】。くさばいろ【草葉色】
青と黄色の中間に当たる、濃い草と同じ色。

수박 (めいし) : 둥글고 크며 초록 빛깔에 검푸른 줄무늬가 있으며 속이 붉고 수분이 많은 과일.
すいか【西瓜】
丸くて大きく、緑色に青黒い縞模様があって、果肉は赤く水分の多い果物。

매실 (めいし) : 달고 신맛이 나며 술이나 음료 등을 만들어 먹는 초록색의 둥근 열매.
うめ【梅】
甘酸っぱい味がし、お酒や飲料の材料になる緑色の丸い実。

멜론 (めいし) : 동그랗고 보통 녹색이며 겉에 그물 모양의 무늬가 있는, 향기가 좋고 단맛이 나는 과일.
メロン
丸くて、普通緑色であり、果皮に網目がある、香ばしくて甘みのある果物。

보라색 포도 자두 오디.

보라색 (めいし) : 파랑과 빨강을 섞은 색.
むらさきいろ【紫色】。むらさき【紫】
青と赤が混ざった色。

포도 (めいし) : 달면서도 약간 신맛이 나는 작은 열매가 뭉쳐서 송이를 이루는 보라색 과일.
ぶどう【葡萄】
甘酸っぱい味の、小さい実が房状になる紫色の果物。

자두 (めいし) : 살구보다 조금 크고 새콤하고 달콤한 맛이 나는 붉은색 과일.
すもも【李・酢桃】
杏の実よりやや大きく、甘酸っぱい味がする赤色の果物。

오디 (めいし) : 뽕나무의 열매.
くわのみ【桑の実】
桑の実。

맛+이 어떻+어요?
어때요

맛 (めいし) : 음식 등을 혀에 댈 때 느껴지는 감각.
あじ【味】
食べ物などが舌に触れた時に感じられる感覚。

이 : 어떤 상태나 상황의 대상이나 동작의 주체를 나타내는 조사.
が
ある状態・状況の対象や動作の主体を表す助詞。

어떻다 (けいようし) : 생각, 느낌, 상태, 형편 등이 어찌 되어 있다.
どうだ
考え、感じ、状態、都合などがどういうふうになっている。

-어요 : (두루높임으로) 어떤 사실을 서술하거나 질문, 명령, 권유함을 나타내는 종결 어미.
ます。です。ますか。ですか。てください
(略待上称) ある事実を叙述したり質問、命令、勧誘する意を表す「終結語尾」。<しつもん【質問】>

달+아요. 달+아요. 달+아요.

달다 (けいようし) : 꿀이나 설탕의 맛과 같다.
あまい【甘い】
蜜や砂糖のような味がする。

-아요 : (두루높임으로) 어떤 사실을 서술하거나 질문, 명령, 권유함을 나타내는 종결 어미.
ます。です。ますか。ですか。てください。
(略待上称) ある事実を叙述したり質問、命令、勧誘する意を表す「終結語尾」。<じょじゅつ【叙述】>

맛+이 어떻+어요?
어때요

맛 (めいし) : 음식 등을 혀에 댈 때 느껴지는 감각.
あじ【味】
食べ物などが舌に触れた時に感じられる感覚。

이 : 어떤 상태나 상황의 대상이나 동작의 주체를 나타내는 조사.
が
ある状態・状況の対象や動作の主体を表す助詞。

어떻다 (けいようし) : 생각, 느낌, 상태, 형편 등이 어찌 되어 있다.
どうだ
考え、感じ、状態、都合などがどういうふうになっている。

-어요 : (두루높임으로) 어떤 사실을 서술하거나 질문, 명령, 권유함을 나타내는 종결 어미.
ます。です。ますか。ですか。てください
(略待上称) ある事実を叙述したり質問、命令、勧誘する意を表す「終結語尾」。<しつもん【質問】>

달콤하+여. 달콤하+여. 달콤하+여.
　달콤해　　　　달콤해　　　　달콤해

달콤하다 (けいようし) : 맛이나 냄새가 기분 좋게 달다.
スイートだ
味やにおいが気持ちよく甘い。

-여 : (두루낮춤으로) 어떤 사실을 서술하거나 물음, 명령, 권유를 나타내는 종결 어미.
のか。なさい。よう。ましょう
(略待下称) ある事実を叙述したり、質問・命令・勧誘の意を表す「終結語尾」。<じょじゅつ【叙述】>

어떻+어요? 어떻+어요?
　어때요　　　　어때요

어떻다 (けいようし) : 생각, 느낌, 상태, 형편 등이 어찌 되어 있다.
どうだ
考え、感じ、状態、都合などがどういうふうになっている。

-어요 : (두루높임으로) 어떤 사실을 서술하거나 질문, 명령, 권유함을 나타내는 종결 어미.
ます。です。ますか。ですか。てください
(略待上称) ある事実を叙述したり質問、命令、勧誘する意を表す「終結語尾」。<しつもん【質問】>

달+아요. 시+어요. 달콤하+여. 새콤하+여.
　　셔요　　　달콤해　　　새콤해

달다 (けいようし) : 꿀이나 설탕의 맛과 같다.
あまい【甘い】
蜜や砂糖のような味がする。

-아요 : (두루높임으로) 어떤 사실을 서술하거나 질문, 명령, 권유함을 나타내는 종결 어미.
ます。です。ますか。ですか。てください。
(略待上称) ある事実を叙述したり質問、命令、勧誘する意を表す「終結語尾」。＜じょじゅつ【叙述】＞

시다 (けいようし) : 맛이 식초와 같다.
すっぱい【酸っぱい】。すい【酸い】
酢の味がする。

-어요 : (두루높임으로) 어떤 사실을 서술하거나 질문, 명령, 권유함을 나타내는 종결 어미.
ます。です。ますか。ですか。てください
(略待上称) ある事実を叙述したり質問、命令、勧誘する意を表す「終結語尾」。＜じょじゅつ【叙述】＞

달콤하다 (けいようし) : 맛이나 냄새가 기분 좋게 달다.
スイートだ
味やにおいが気持ちよく甘い。

-여 : (두루낮춤으로) 어떤 사실을 서술하거나 물음, 명령, 권유를 나타내는 종결 어미.
のか。なさい。よう。ましょう
(略待下称) ある事実を叙述したり、質問・命令・勧誘の意を表す「終結語尾」。＜じょじゅつ【叙述】＞

새콤하다 (けいようし) : 맛이 조금 시면서 상큼하다.
ややすっぱい
少し酸味があってさわやかな味がする。

-여 : (두루낮춤으로) 어떤 사실을 서술하거나 물음, 명령, 권유를 나타내는 종결 어미.
のか。なさい。よう。ましょう
(略待下称) ある事実を叙述したり、質問・命令・勧誘の意を表す「終結語尾」。＜じょじゅつ【叙述】＞

＜ 2 절(せつ【節】) ＞

맛있+는 과일 과일 과일.

맛있다 (けいようし) : 맛이 좋다.
おいしい【美味しい】。うまい【旨い・美味い】
味が良い。

-는 : 앞의 말이 관형어의 기능을 하게 만들고 사건이나 동작이 현재 일어남을 나타내는 어미.
する。ている
前の言葉に連体修飾語の機能を持たせ、出来事や動作が現在進行中であるという意を表す語尾。

과일 (めいし) : 사과, 배, 포도, 밤 등과 같이 나뭇가지나 줄기에 열리는 먹을 수 있는 열매.
くだもの・かぶつ【果物】。フルーツ
りんご・梨・ブドウ・栗の実など、木の枝や幹に実る、食べられる果実。

아삭아삭 과일 과일.

아삭아삭 (ふくし) : 연하고 싱싱한 과일이나 채소를 베어 물 때 나는 소리.
さくっと
柔らかくて新鮮な果物や野菜を噛む時の音。

과일 (めいし) : 사과, 배, 포도, 밤 등과 같이 나뭇가지나 줄기에 열리는 먹을 수 있는 열매.
くだもの・かぶつ【果物】。フルーツ
りんご・梨・ブドウ・栗の実など、木の枝や幹に実る、食べられる果実。

먹+[고 싶]+어, 과일 과일.

먹다 (どうし) : 음식 등을 입을 통하여 배 속에 들여보내다.
たべる【食べる】。くう【食う・喰う】。くらう【食らう】
食べ物を口の中に入れて飲み込む。

-고 싶다 : 앞의 말이 나타내는 행동을 하기를 원함을 나타내는 표현.
たい
前の言葉の表す行動をしたいという意を表す表現。

-어 : (두루낮춤으로) 어떤 사실을 서술하거나 물음, 명령, 권유를 나타내는 종결 어미.
のか。なさい。よう。ましょう
(略待下称) ある事実を叙述したり、質問・命令・勧誘の意を表す「終結語尾」。<じょじゅつ【叙述】>

과일 (めいし) : 사과, 배, 포도, 밤 등과 같이 나뭇가지나 줄기에 열리는 먹을 수 있는 열매.
くだもの・かぶつ【果物】。フルーツ
りんご・梨・ブドウ・栗の実など、木の枝や幹に実る、食べられる果実。

빨간색 딸기 사과 앵두.

빨간색 (めいし) : 흐르는 피나 잘 익은 사과, 고추처럼 붉은 색.
あかいろ【赤色】。 あか【赤】
流れる血やよく熟したりんご・唐辛子のように赤い色。

딸기 (めいし) : 줄기가 땅 위로 뻗으며, 겉에 씨가 박혀 있는 빨간 열매가 열리는 여러해살이풀. 또는 그 열매.
いちご【苺】
幹が地上へ伸び、種が表にある、赤い実を結ぶ多年草。また、その実。

사과 (めいし) : 모양이 둥글고 붉으며 새콤하고 단맛이 나는 과일.
りんご【林檎】。 アップル
丸くて赤い、甘酸っぱい味のする果物。

앵두 (めいし) : 모양이 작고 둥글며 달콤하면서 신맛을 지닌 붉은색 과일.
さくらんぼう・さくらんぼ【桜ん坊・桜桃】。 おうとう【桜桃】
小さくて丸い形で甘酸っぱい味のする赤色の果実。

노란색 참외 레몬 망고.

노란색 (めいし) : 병아리나 바나나와 같은 색.
きいろ【黄色】。 イエロー
ひよこやバナナと同じ色。

참외 (めいし) : 색이 노랗고 단맛이 나며 주로 여름에 먹는 열매.
まくわうり【真桑瓜】
皮が黄色くて甘い味がする、夏によく食べる果物。

레몬 (めいし) : 신맛이 강하고 새콤한 향기가 나는 타원형의 노란색 열매.
レモン
酸味が強く、匂いがすっぱい、楕円形の黄色い実。

망고 (めいし) : 타원형에 과육이 노랗고 부드러우며 단맛이 나는 열대 과일.
マンゴー
楕円形に果肉は黄色くて柔らかく、甘みのある熱帯果物。

초록색 수박 매실 멜론.

초록색 (めいし) : 파랑과 노랑의 중간인, 짙은 풀과 같은 색.
みどり【緑】。 みどりいろ【緑色】。 くさいろ【草色】。 くさばいろ【草葉色】
青と黄色の中間に当たる、濃い草と同じ色。

수박 (めいし) : 둥글고 크며 초록 빛깔에 검푸른 줄무늬가 있으며 속이 붉고 수분이 많은 과일.
すいか【西瓜】
丸くて大きく、緑色に青黒い縞模様があって、果肉は赤く水分の多い果物。

매실 (めいし) : 달고 신맛이 나며 술이나 음료 등을 만들어 먹는 초록색의 둥근 열매.
うめ【梅】
甘酸っぱい味がし、お酒や飲料の材料になる緑色の丸い実。

멜론 (めいし) : 동그랗고 보통 녹색이며 겉에 그물 모양의 무늬가 있는, 향기가 좋고 단맛이 나는 과일.
メロン
丸くて、普通緑色であり、果皮に網目がある、香ばしくて甘みのある果物。

보라색 포도 자두 오디.

보라색 (めいし) : 파랑과 빨강을 섞은 색.
むらさきいろ【紫色】。むらさき【紫】
青と赤が混ざった色。

포도 (めいし) : 달면서도 약간 신맛이 나는 작은 열매가 뭉쳐서 송이를 이루는 보라색 과일.
ぶどう【葡萄】
甘酸っぱい味の、小さい実が房状になる紫色の果物。

자두 (めいし) : 살구보다 조금 크고 새콤하고 달콤한 맛이 나는 붉은색 과일.
すもも【李・酢桃】
杏の実よりやや大きく、甘酸っぱい味がする赤色の果物。

오디 (めいし) : 뽕나무의 열매.
くわのみ【桑の実】
桑の実。

맛+이 어떻+어요?
어때요

맛 (めいし) : 음식 등을 혀에 댈 때 느껴지는 감각.
あじ【味】
食べ物などが舌に触れた時に感じられる感覚。

이 : 어떤 상태나 상황의 대상이나 동작의 주체를 나타내는 조사.
が
ある状態・状況の対象や動作の主体を表す助詞。

어떻다 (けいようし) : 생각, 느낌, 상태, 형편 등이 어찌 되어 있다.
どうだ
考え、感じ、状態、都合などがどういうふうになっている。

-어요 : (두루높임으로) 어떤 사실을 서술하거나 질문, 명령, 권유함을 나타내는 종결 어미.
ます。です。ますか。ですか。てください
(略待上称) ある事実を叙述したり質問、命令、勧誘する意を表す「終結語尾」。 <しつもん【質問】>

시+어요. 시+어요. 시+어요.
셔요   셔요   셔요

시다 (けいようし) : 맛이 식초와 같다.
すっぱい【酸っぱい】。すい【酸い】
酢の味がする。

-어요 : (두루높임으로) 어떤 사실을 서술하거나 질문, 명령, 권유함을 나타내는 종결 어미.
ます。です。ますか。ですか。てください
(略待上称) ある事実を叙述したり質問、命令、勧誘する意を表す「終結語尾」。 <じょじゅつ【叙述】>

맛+이 어떻+어요?
어때요

맛 (めいし) : 음식 등을 혀에 댈 때 느껴지는 감각.
あじ【味】
食べ物などが舌に触れた時に感じられる感覚。

이 : 어떤 상태나 상황의 대상이나 동작의 주체를 나타내는 조사.
が
ある状態・状況の対象や動作の主体を表す助詞。

어떻다 (けいようし) : 생각, 느낌, 상태, 형편 등이 어찌 되어 있다.
どうだ
考え、感じ、状態、都合などがどういうふうになっている。

-어요 : (두루높임으로) 어떤 사실을 서술하거나 질문, 명령, 권유함을 나타내는 종결 어미.
ます。です。ますか。ですか。てください
(略待上称) ある事実を叙述したり質問、命令、勧誘する意を表す「終結語尾」。 <しつもん【質問】>

<u>새콤하+여</u>. <u>새콤하+여</u>. <u>새콤하+여</u>.
　새콤해　　　　새콤해　　　　새콤해

새콤하다 (けいようし) : 맛이 조금 시면서 상큼하다.
ややすっぱい
少し酸味があってさわやかな味がする。

-여 : (두루낮춤으로) 어떤 사실을 서술하거나 물음, 명령, 권유를 나타내는 종결 어미.
のか。なさい。よう。ましょう
(略待下称) ある事実を叙述したり、質問・命令・勧誘の意を表す「終結語尾」。<じょじゅつ【叙述】>

<u>어떻+어요?</u> <u>어떻+어요?</u>
　어때요　　　　어때요

어떻다 (けいようし) : 생각, 느낌, 상태, 형편 등이 어찌 되어 있다.
どうだ
考え、感じ、状態、都合などがどういうふうになっている。

-어요 : (두루높임으로) 어떤 사실을 서술하거나 질문, 명령, 권유함을 나타내는 종결 어미.
ます。です。ますか。ですか。てください
(略待上称) ある事実を叙述したり質問、命令、勧誘する意を表す「終結語尾」。<しつもん【質問】>

<u>달+아요</u>. <u>시+어요</u>. <u>달콤하+여</u>. <u>새콤하+여</u>.
　　　셔요　　　　달콤해　　　새콤해

달다 (けいようし) : 꿀이나 설탕의 맛과 같다.
あまい【甘い】
蜜や砂糖のような味がする。

-아요 : (두루높임으로) 어떤 사실을 서술하거나 질문, 명령, 권유함을 나타내는 종결 어미.
ます。です。ますか。ですか。てください。
(略待上称) ある事実を叙述したり質問、命令、勧誘する意を表す「終結語尾」。<じょじゅつ【叙述】>

시다 (けいようし) : 맛이 식초와 같다.
すっぱい【酸っぱい】。すい【酸い】
酢の味がする。

-어요 : (두루높임으로) 어떤 사실을 서술하거나 질문, 명령, 권유함을 나타내는 종결 어미.
ます。です。ますか。ですか。てください
(略待上称) ある事実を叙述したり質問、命令、勧誘する意を表す「終結語尾」。<じょじゅつ【叙述】>

달콤하다 (けいようし) : 맛이나 냄새가 기분 좋게 달다.
スイートだ
味やにおいが気持ちよく甘い。

-여 : (두루낮춤으로) 어떤 사실을 서술하거나 물음, 명령, 권유를 나타내는 종결 어미.
のか。なさい。よう。ましょう
(略待下称) ある事実を叙述したり、質問・命令・勧誘の意を表す「終結語尾」。<じょじゅつ【叙述】>

새콤하다 (けいようし) : 맛이 조금 시면서 상큼하다.
ややすっぱい
少し酸味があってさわやかな味がする。

-여 : (두루낮춤으로) 어떤 사실을 서술하거나 물음, 명령, 권유를 나타내는 종결 어미.
のか。なさい。よう。ましょう
(略待下称) ある事実を叙述したり、質問・命令・勧誘の意を表す「終結語尾」。<じょじゅつ【叙述】>

맛있+는 과일 과일 과일.

맛있다 (けいようし) : 맛이 좋다.
おいしい【美味しい】。うまい【旨い・美味い】
味が良い。

-는 : 앞의 말이 관형어의 기능을 하게 만들고 사건이나 동작이 현재 일어남을 나타내는 어미.
する。ている
前の言葉に連体修飾語の機能を持たせ、出来事や動作が現在進行中であるという意を表す語尾。

과일 (めいし) : 사과, 배, 포도, 밤 등과 같이 나뭇가지나 줄기에 열리는 먹을 수 있는 열매.
くだもの・かぶつ【果物】。フルーツ
りんご・梨・ブドウ・栗の実など、木の枝や幹に実る、食べられる果実。

아삭아삭 과일 과일.

아삭아삭 (ふくし) : 연하고 싱싱한 과일이나 채소를 베어 물 때 나는 소리.
さくっと
柔らかくて新鮮な果物や野菜を噛む時の音。

과일 (めいし) : 사과, 배, 포도, 밤 등과 같이 나뭇가지나 줄기에 열리는 먹을 수 있는 열매.
くだもの・かぶつ【果物】。 フルーツ
りんご・梨・ブドウ・栗の実など、木の枝や幹に実る、食べられる果実。

먹+[고 싶]+어, 과일 과일.

먹다 (どうし) : 음식 등을 입을 통하여 배 속에 들여보내다.
たべる【食べる】。 くう【食う・喰う】。 くらう【食らう】
食べ物を口の中に入れて飲み込む。

-고 싶다 : 앞의 말이 나타내는 행동을 하기를 원함을 나타내는 표현.
たい
前の言葉の表す行動をしたいという意を表す表現。

-어 : (두루낮춤으로) 어떤 사실을 서술하거나 물음, 명령, 권유를 나타내는 종결 어미.
のか。 なさい。 よう。 ましょう
(略待下称) ある事実を叙述したり、質問・命令・勧誘の意を表す「終結語尾」。 <じょじゅつ【叙述】>

과일 (めいし) : 사과, 배, 포도, 밤 등과 같이 나뭇가지나 줄기에 열리는 먹을 수 있는 열매.
くだもの・かぶつ【果物】。 フルーツ
りんご・梨・ブドウ・栗の実など、木の枝や幹に実る、食べられる果実。

맛있+는 과일 과일 과일.

맛있다 (けいようし) : 맛이 좋다.
おいしい【美味しい】。 うまい【旨い・美味い】
味が良い。

-는 : 앞의 말이 관형어의 기능을 하게 만들고 사건이나 동작이 현재 일어남을 나타내는 어미.
する。 ている
前の言葉に連体修飾語の機能を持たせ、出来事や動作が現在進行中であるという意を表す語尾。

과일 (めいし) : 사과, 배, 포도, 밤 등과 같이 나뭇가지나 줄기에 열리는 먹을 수 있는 열매.
くだもの・かぶつ【果物】。 フルーツ
りんご・梨・ブドウ・栗の実など、木の枝や幹に実る、食べられる果実。

아삭아삭 과일 과일.

아삭아삭 (ふくし) : 연하고 싱싱한 과일이나 채소를 베어 물 때 나는 소리.
さくっと
柔らかくて新鮮な果物や野菜を噛む時の音。

과일 (めいし) : 사과, 배, 포도, 밤 등과 같이 나뭇가지나 줄기에 열리는 먹을 수 있는 열매.
くだもの・かぶつ【果物】。フルーツ
りんご・梨・ブドウ・栗の実など、木の枝や幹に実る、食べられる果実。

먹+[고 싶]+어, 과일 과일.

먹다 (どうし) : 음식 등을 입을 통하여 배 속에 들여보내다.
たべる【食べる】。くう【食う・喰う】。くらう【食らう】
食べ物を口の中に入れて飲み込む。

-고 싶다 : 앞의 말이 나타내는 행동을 하기를 원함을 나타내는 표현.
たい
前の言葉の表す行動をしたいという意を表す表現。

-어 : (두루낮춤으로) 어떤 사실을 서술하거나 물음, 명령, 권유를 나타내는 종결 어미.
のか。なさい。よう。ましょう
(略待下称) ある事実を叙述したり、質問・命令・勧誘の意を表す「終結語尾」。＜じょじゅつ【叙述】＞

과일 (めいし) : 사과, 배, 포도, 밤 등과 같이 나뭇가지나 줄기에 열리는 먹을 수 있는 열매.
くだもの・かぶつ【果物】。フルーツ
りんご・梨・ブドウ・栗の実など、木の枝や幹に実る、食べられる果実。

먹+[고 싶]+어, 과일 과일.

먹다 (どうし) : 음식 등을 입을 통하여 배 속에 들여보내다.
たべる【食べる】。くう【食う・喰う】。くらう【食らう】
食べ物を口の中に入れて飲み込む。

-고 싶다 : 앞의 말이 나타내는 행동을 하기를 원함을 나타내는 표현.
たい
前の言葉の表す行動をしたいという意を表す表現。

-어 : (두루낮춤으로) 어떤 사실을 서술하거나 물음, 명령, 권유를 나타내는 종결 어미.
のか。なさい。よう。ましょう
(略待下称) ある事実を叙述したり、質問・命令・勧誘の意を表す「終結語尾」。＜じょじゅつ【叙述】＞

과일 (めいし) : 사과, 배, 포도, 밤 등과 같이 나뭇가지나 줄기에 열리는 먹을 수 있는 열매.

くだもの・かぶつ【果物】。フルーツ

りんご・梨・ブドウ・栗の実など、木の枝や幹に実る、食べられる果実。

< 3 >

신체송

신체(しんたい【身体】)
송(うた【歌・唄】)

[발음(はつおん【発音】)]

< 1 절(せつ【節】) >

머리, 어깨, 무릎, 발, 무릎, 발, 머리, 어깨, 무릎, 발, 무릎, 발
머리, 어깨, 무릅, 발, 무릅, 발, 머리, 어깨, 무릅, 발, 무릅, 발
meori, eokkae, mureup, bal, mureup, bal, meori, eokkae, mureup, bal, mureup, bal

머리, 어깨, 무릎, 발, 머리, 어깨, 무릎, 발
머리, 어깨, 무릅, 발, 머리, 어깨, 무릅, 발
meori, eokkae, mureup, bal, meori, eokkae, mureup, bal

머리, 어깨, 무릎, 발, 머리, 어깨, 무릎, 발
머리, 어깨, 무릅, 발, 머리, 어깨, 무릅, 발
meori, eokkae, mureup, bal, meori, eokkae, mureup, bal

머리, 머리, 머리카락
머리, 머리, 머리카락
meori, meori, meorikarak

얼굴, 얼굴, 얼굴, 이마
얼굴, 얼굴, 얼굴, 이마
eolgul, eolgul, eolgul, ima

눈, 코, 입, 귀, 눈, 코, 입, 귀
눈, 코, 입, 귀, 눈, 코, 입, 귀
nun, ko, ip, gwi, nun, ko, ip, gwi

머리, 머리, 머리카락
머리, 머리, 머리카락
meori, meori, meorikarak

얼굴, 얼굴, 얼굴, 이마
얼굴, 얼굴, 얼굴, 이마
eolgul, eolgul, eolgul, ima

눈, 코, 입, 귀, 눈, 코, 입, 귀
눈, 코, 입, 귀, 눈, 코, 입, 귀
nun, ko, ip, gwi, nun, ko, ip, gwi

신나게 흔들어요
신나게 흔드러요
sinnage heundeureoyo

다 함께 춤을 춰요
다 함께 추믈 춰요
da hamkke chumeul chwoyo

즐겁게 흔들어요
즐겁께 흔드러요
jeulgeopge heundeureoyo

우리 모두 춤을 춰요
우리 모두 추믈 춰요
uri modu chumeul chwoyo

< 2 절(せつ【節】) >

머리, 어깨, 무릎, 발, 무릎, 발, 머리, 어깨, 무릎, 발, 무릎, 발
머리, 어깨, 무릅, 발, 무릅, 발, 머리, 어깨, 무릅, 발, 무릅, 발
meori, eokkae, mureup, bal, mureup, bal, meori, eokkae, mureup, bal, mureup, bal

머리, 어깨, 무릎, 발, 머리, 어깨, 무릎, 발
머리, 어깨, 무릅, 발, 머리, 어깨, 무릅, 발
meori, eokkae, mureup, bal, meori, eokkae, mureup, bal

팔, 팔, 팔, 손
팔, 팔, 팔, 손
pal, pal, pal, son

다리, 다리, 다리, 발
다리, 다리, 다리, 발
dari, dari, dari, bal

가슴, 허리, 엉덩이, 가슴, 허리, 엉덩이
가슴, 허리, 엉덩이, 가슴, 허리, 엉덩이
gaseum, heori, eongdeongi, gaseum, heori, eongdeongi

팔, 팔, 팔, 손
팔, 팔, 팔, 손
pal, pal, pal, son

다리, 다리, 다리, 발
다리, 다리, 다리, 발
dari, dari, dari, bal

가슴, 허리, 엉덩이, 가슴, 허리, 엉덩이
가슴, 허리, 엉덩이, 가슴, 허리, 엉덩이
gaseum, heori, eongdeongi, gaseum, heori, eongdeongi

신나게 흔들어요
신나게 흔드러요
sinnage heundeureoyo

다 함께 춤을 춰요
다 함께 추믈 춰요
da hamkke chumeul chwoyo

즐겁게 흔들어요
즐겁께 흔드러요
jeulgeopge heundeureoyo

우리 모두 춤을 춰요
우리 모두 추믈 춰요
uri modu chumeul chwoyo

< 3 절(せつ【節】) >

머리, 어깨, 무릎, 발, 무릎, 발, 머리, 어깨, 무릎, 발, 무릎, 발
머리, 어깨, 무릅, 발, 무릅, 발, 머리, 어깨, 무릅, 발, 무릅, 발
meori, eokkae, mureup, bal, mureup, bal, meori, eokkae, mureup, bal, mureup, bal

머리, 어깨, 무릎, 발, 머리, 어깨, 무릎, 발
머리, 어깨, 무릅, 발, 머리, 어깨, 무릅, 발
meori, eokkae, mureup, bal, meori, eokkae, mureup, bal

< 1 절(せつ【節】) >

머리, 어깨, 무릎, 발, 무릎, 발, 머리, 어깨, 무릎, 발, 무릎, 발

머리 (めいし) : 사람이나 동물의 몸에서 얼굴과 머리털이 있는 부분을 모두 포함한 목 위의 부분.
あたま【頭】。 とうぶ【頭部】
人間や動物の体で、顔と髪の毛が生えている部分を全て含めた、首の上の部分。

어깨 (めいし) : 목의 아래 끝에서 팔의 위 끝에 이르는 몸의 부분.
かた【肩】
首の付け根から腕が胴体に接続する部分の上部にかけての部分。

무릎 (めいし) : 허벅지와 종아리 사이에 앞쪽으로 둥글게 튀어나온 부분.
ひざ【膝】。 ひざがしら【膝頭】
太ももとすねの間で、丸く前に突き出ている部分。

발 (めいし) : 사람이나 동물의 다리 맨 끝부분.
あし【足】
人間や動物の脚の末端部分。

머리, 어깨, 무릎, 발, 머리, 어깨, 무릎, 발

머리 (めいし) : 사람이나 동물의 몸에서 얼굴과 머리털이 있는 부분을 모두 포함한 목 위의 부분.
あたま【頭】。 とうぶ【頭部】
人間や動物の体で、顔と髪の毛が生えている部分を全て含めた、首の上の部分。

어깨 (めいし) : 목의 아래 끝에서 팔의 위 끝에 이르는 몸의 부분.
かた【肩】
首の付け根から腕が胴体に接続する部分の上部にかけての部分。

무릎 (めいし) : 허벅지와 종아리 사이에 앞쪽으로 둥글게 튀어나온 부분.
ひざ【膝】。 ひざがしら【膝頭】
太ももとすねの間で、丸く前に突き出ている部分。

발 (めいし) : 사람이나 동물의 다리 맨 끝부분.
あし【足】
人間や動物の脚の末端部分。

머리, 어깨, 무릎, 발, 머리, 어깨, 무릎, 발

머리 (めいし) : 사람이나 동물의 몸에서 얼굴과 머리털이 있는 부분을 모두 포함한 목 위의 부분.
あたま【頭】。とうぶ【頭部】
人間や動物の体で、顔と髪の毛が生えている部分を全て含めた、首の上の部分。

어깨 (めいし) : 목의 아래 끝에서 팔의 위 끝에 이르는 몸의 부분.
かた【肩】
首の付け根から腕が胴体に接続する部分の上部にかけての部分。

무릎 (めいし) : 허벅지와 종아리 사이에 앞쪽으로 둥글게 튀어나온 부분.
ひざ【膝】。ひざがしら【膝頭】
太ももとすねの間で、丸く前に突き出ている部分。

발 (めいし) : 사람이나 동물의 다리 맨 끝부분.
あし【足】
人間や動物の脚の末端部分。

머리, 머리, 머리카락

머리 (めいし) : 사람이나 동물의 몸에서 얼굴과 머리털이 있는 부분을 모두 포함한 목 위의 부분.
あたま【頭】。とうぶ【頭部】
人間や動物の体で、顔と髪の毛が生えている部分を全て含めた、首の上の部分。

머리카락 (めいし) : 머리털 하나하나.
かみのけ【髪の毛】
髪の毛の1本1本。

얼굴, 얼굴, 얼굴, 이마

얼굴 (めいし) : 눈, 코, 입이 있는 머리의 앞쪽 부분.
かお【顔】。つら・おもて【面】。がんめん【顔面】
目・鼻・口がある、頭の前の部分。

이마 (めいし) : 얼굴의 눈썹 위부터 머리카락이 난 아래까지의 부분.
ひたい【額】。おでこ
顔の眉の上から髪の生えぎわまでの部分。

눈, 코, 입, 귀, 눈, 코, 입, 귀

눈 (めいし) : 사람이나 동물의 얼굴에 있으며 빛의 자극을 받아 물체를 볼 수 있는 감각 기관.
め【目・眼】
人や動物の顔にあり、光の刺激を受けて物を見る働きをする感覚器官。

코 (めいし) : 숨을 쉬고 냄새를 맡는 몸의 한 부분.
はな【鼻】
息をして、においを嗅ぐ身体の一部。

입 (めいし) : 음식을 먹고 소리를 내는 기관으로 입술에서 목구멍까지의 부분.
くち【口】
物を食べて声を出す器官で、唇から喉までの部分。

귀 (めいし) : 사람이나 동물의 머리 양옆에 있어 소리를 듣는 몸의 한 부분.
みみ【耳】
人や動物の頭部の左右にあって、音を聞く身体の一部分。

머리, 머리, 머리카락

머리 (めいし) : 사람이나 동물의 몸에서 얼굴과 머리털이 있는 부분을 모두 포함한 목 위의 부분.
あたま【頭】。とうぶ【頭部】
人間や動物の体で、顔と髪の毛が生えている部分を全て含めた、首の上の部分。

머리카락 (めいし) : 머리털 하나하나.
かみのけ【髪の毛】
髪の毛の１本１本。

얼굴, 얼굴, 얼굴, 이마

얼굴 (めいし) : 눈, 코, 입이 있는 머리의 앞쪽 부분.
かお【顔】。つら・おもて【面】。がんめん【顔面】
目・鼻・口がある、頭の前の部分。

이마 (めいし) : 얼굴의 눈썹 위부터 머리카락이 난 아래까지의 부분.
ひたい【額】。おでこ
顔の眉の上から髪の生えぎわまでの部分。

눈, 코, 입, 귀, 눈, 코, 입, 귀

눈 (めいし) : 사람이나 동물의 얼굴에 있으며 빛의 자극을 받아 물체를 볼 수 있는 감각 기관.
め【目・眼】
人や動物の顔にあり、光の刺激を受けて物を見る働きをする感覚器官。

코 (めいし) : 숨을 쉬고 냄새를 맡는 몸의 한 부분.
はな【鼻】
息をして、においを嗅ぐ身体の一部。

입 (めいし) : 음식을 먹고 소리를 내는 기관으로 입술에서 목구멍까지의 부분.
くち【口】
物を食べて声を出す器官で、唇から喉までの部分。

귀 (めいし) : 사람이나 동물의 머리 양옆에 있어 소리를 듣는 몸의 한 부분.
みみ【耳】
人や動物の頭部の左右にあって、音を聞く身体の一部分。

신나+게 흔들+어요.

신나다 (どうし) : 흥이 나고 기분이 아주 좋아지다.
よろこぶ【喜ぶ】
楽しくて、気分が非常に良くなる。

-게 : 앞의 말이 뒤에서 가리키는 일의 목적이나 결과, 방식, 정도 등이 됨을 나타내는 연결 어미.
…く。…に。ように。ほど
前の事柄が後の事柄の目的・結果・方法・程度などになるという意を表す「連結語尾」。 <ほうしき【方式】>

흔들다 (どうし) : 무엇을 좌우, 앞뒤로 자꾸 움직이게 하다.
ふる【振る】
何かを前後左右に何度も動かすようにする。

-어요 : (두루높임으로) 어떤 사실을 서술하거나 질문, 명령, 권유함을 나타내는 종결 어미.
ます。です。ますか。ですか。てください
(略待上称) ある事実を叙述したり質問、命令、勧誘する意を表す「終結語尾」。 <めいれい【命令】>

다 함께 춤+을 추+어요.
춰요

다 (ふくし) : 남거나 빠진 것이 없이 모두.
ぜんぶ【全部】。すべて【全て】。みな【皆】。のこらず【残らず】。もれなく
残ったり、漏れたものがなく、全て。

함께 (ふくし) : 여럿이서 한꺼번에 같이.
いっしょに【一緒に】。ともに【共に】
複数の人がともに。

춤 (めいし) : 음악이나 규칙적인 박자에 맞춰 몸을 움직이는 것.
おどり【踊り】。ぶよう【舞踊】。ぶとう【舞踏】。まい【舞い】。ダンス
音楽や規則的なリズムに合わせて身体を動かすこと。

을 : 서술어의 명사형 목적어임을 나타내는 조사.
を
述語の名詞形目的語であることを表す助詞。

추다 (どうし) : 춤 동작을 하다.
おどる【踊る】。まう【舞う】
舞踊の動作をする。

-어요 : (두루높임으로) 어떤 사실을 서술하거나 질문, 명령, 권유함을 나타내는 종결 어미.
ます。です。ますか。ですか。てください
(略待上称) ある事実を叙述したり質問、命令、勧誘する意を表す「終結語尾」。 <めいれい【命令】>

즐겁+게 흔들+어요.

즐겁다 (けいようし) : 마음에 들어 흐뭇하고 기쁘다.
たのしい【楽しい】
気に入って喜ばしく思い、うれしい。

-게 : 앞의 말이 뒤에서 가리키는 일의 목적이나 결과, 방식, 정도 등이 됨을 나타내는 연결 어미.
…く。…に。ように。ほど
前の事柄が後の事柄の目的・結果・方法・程度などになるという意を表す「連結語尾」。 <ほうしき【方式】>

흔들다 (どうし) : 무엇을 좌우, 앞뒤로 자꾸 움직이게 하다.
ふる【振る】
何かを前後左右に何度も動かすようにする。

-어요 : (두루높임으로) 어떤 사실을 서술하거나 질문, 명령, 권유함을 나타내는 종결 어미.
ます。です。ますか。ですか。てください
(略待上称) ある事実を叙述したり質問、命令、勧誘する意を表す「終結語尾」。 <めいれい【命令】>

우리 모두 춤+을 추+어요.
　　　　　　　 춰요

우리 (だいめいし) : 말하는 사람이 자기와 듣는 사람 또는 이를 포함한 여러 사람들을 가리키는 말.
わたくしたち【私達】
話し手が自分と聞き手、またそれを含めた複数の人たちを指す語。

모두 (ふくし) : 빠짐없이 다.
みんな。みな【皆】。すべて
欠如なしに全部。

춤 (めいし) : 음악이나 규칙적인 박자에 맞춰 몸을 움직이는 것.
おどり【踊り】。ぶよう【舞踊】。ぶとう【舞踏】。まい【舞い】。ダンス
音楽や規則的なリズムに合わせて身体を動かすこと。

을 : 서술어의 명사형 목적어임을 나타내는 조사.
を
述語の名詞形目的語であることを表す助詞。

추다 (どうし) : 춤 동작을 하다.
おどる【踊る】。まう【舞う】
舞踊の動作をする。

-어요 : (두루높임으로) 어떤 사실을 서술하거나 질문, 명령, 권유함을 나타내는 종결 어미.
ます。です。ますか。ですか。てください
(略待上称) ある事実を叙述したり質問、命令、勧誘する意を表す「終結語尾」。 **<めいれい【命令】>**

< 2 절(せつ【節】) >

머리, 어깨, 무릎, 발, 무릎, 발, 머리, 어깨, 무릎, 발, 무릎, 발

머리 (めいし) : 사람이나 동물의 몸에서 얼굴과 머리털이 있는 부분을 모두 포함한 목 위의 부분.
あたま【頭】。とうぶ【頭部】
人間や動物の体で、顔と髪の毛が生えている部分を全て含めた、首の上の部分。

어깨 (めいし) : 목의 아래 끝에서 팔의 위 끝에 이르는 몸의 부분.
かた【肩】
首の付け根から腕が胴体に接続する部分の上部にかけての部分。

무릎 (めいし) : 허벅지와 종아리 사이에 앞쪽으로 둥글게 튀어나온 부분.
ひざ【膝】。ひざがしら【膝頭】
太ももとすねの間で、丸く前に突き出ている部分。

발 (めいし) : 사람이나 동물의 다리 맨 끝부분.
あし【足】
人間や動物の脚の末端部分。

머리, 어깨, 무릎, 발, 머리, 어깨, 무릎, 발

머리 (めいし) : 사람이나 동물의 몸에서 얼굴과 머리털이 있는 부분을 모두 포함한 목 위의 부분.
あたま【頭】。とうぶ【頭部】
人間や動物の体で、顔と髪の毛が生えている部分を全て含めた、首の上の部分。

어깨 (めいし) : 목의 아래 끝에서 팔의 위 끝에 이르는 몸의 부분.
かた【肩】
首の付け根から腕が胴体に接続する部分の上部にかけての部分。

무릎 (めいし) : 허벅지와 종아리 사이에 앞쪽으로 둥글게 튀어나온 부분.
ひざ【膝】。ひざがしら【膝頭】
太ももとすねの間で、丸く前に突き出ている部分。

발 (めいし) : 사람이나 동물의 다리 맨 끝부분.
あし【足】
人間や動物の脚の末端部分。

머리, 어깨, 무릎, 발, 머리, 어깨, 무릎, 발

머리 (めいし) : 사람이나 동물의 몸에서 얼굴과 머리털이 있는 부분을 모두 포함한 목 위의 부분.
あたま【頭】。とうぶ【頭部】
人間や動物の体で、顔と髪の毛が生えている部分を全て含めた、首の上の部分。

어깨 (めいし) : 목의 아래 끝에서 팔의 위 끝에 이르는 몸의 부분.
かた【肩】
首の付け根から腕が胴体に接続する部分の上部にかけての部分。

무릎 (めいし) : 허벅지와 종아리 사이에 앞쪽으로 둥글게 튀어나온 부분.
ひざ【膝】。ひざがしら【膝頭】
太ももとすねの間で、丸く前に突き出ている部分。

발 (めいし) : 사람이나 동물의 다리 맨 끝부분.
あし【足】
人間や動物の脚の末端部分。

팔, 팔, 팔, 손

팔 (めいし) : 어깨에서 손목까지의 신체 부위.
うで【腕】
肩から手首までの部分。

손 (めいし) : 팔목 끝에 있으며 무엇을 만지거나 잡을 때 쓰는 몸의 부분.
て【手】
手首の先にあり、何かに触ったり、取ったりする時に使う体の部分。

다리, 다리, 다리, 발

다리 (めいし) : 사람이나 동물의 몸통 아래에 붙어, 서고 걷고 뛰는 일을 하는 신체 부위.
あし【足・脚】
人間や動物の胴体の下について、立ったり歩いたり走ったりする機能を行う身体部位。

발 (めいし) : 사람이나 동물의 다리 맨 끝부분.
あし【足】
人間や動物の脚の末端部分。

가슴, 허리, 엉덩이, 가슴, 허리, 엉덩이

가슴 (めいし) : 인간이나 동물의 목과 배 사이에 있는 몸의 앞 부분.
むね【胸】。きょうぶ【胸部】
人間や動物の首と腹の間にある、体の前面の部分。

허리 (めいし) : 사람이나 동물의 신체에서 갈비뼈 아래에서 엉덩이뼈까지의 부분.
こし【腰】
人や動物の身体で肋骨の下から尻骨までの部分。

엉덩이 (めいし) : 허리와 허벅지 사이의 부분으로 앉았을 때 바닥에 닿는, 살이 많은 부위.
しり【尻】。けつ。でんぶ【臀部】
腰と太ももの間の部分で、座る時に床に接する、肉付きの豊かな部位。

팔, 팔, 팔, 손

팔 (めいし) : 어깨에서 손목까지의 신체 부위.
うで【腕】
肩から手首までの部分。

손 (めいし) : 팔목 끝에 있으며 무엇을 만지거나 잡을 때 쓰는 몸의 부분.
て【手】
手首の先にあり、何かに触ったり、取ったりする時に使う体の部分。

다리, 다리, 다리, 발

다리 (めいし) : 사람이나 동물의 몸통 아래에 붙어, 서고 걷고 뛰는 일을 하는 신체 부위.
あし【足・脚】
人間や動物の胴体の下について、立ったり歩いたり走ったりする機能を行う身体部位。

발 (めいし) : 사람이나 동물의 다리 맨 끝부분.
あし【足】
人間や動物の脚の末端部分。

가슴, 허리, 엉덩이, 가슴, 허리, 엉덩이

가슴 (めいし) : 인간이나 동물의 목과 배 사이에 있는 몸의 앞 부분.
むね【胸】。きょうぶ【胸部】
人間や動物の首と腹の間にある、体の前面の部分。

허리 (めいし) : 사람이나 동물의 신체에서 갈비뼈 아래에서 엉덩이뼈까지의 부분.
こし【腰】
人や動物の身体で肋骨の下から尻骨までの部分。

엉덩이 (めいし) : 허리와 허벅지 사이의 부분으로 앉았을 때 바닥에 닿는, 살이 많은 부위.
しり【尻】。けつ。でんぶ【臀部】
腰と太ももの間の部分で、座る時に床に接する、肉付きの豊かな部位。

신나+게 흔들+어요.

신나다 (どうし) : 흥이 나고 기분이 아주 좋아지다.
よろこぶ【喜ぶ】
楽しくて、気分が非常に良くなる。

-게 : 앞의 말이 뒤에서 가리키는 일의 목적이나 결과, 방식, 정도 등이 됨을 나타내는 연결 어미.
…く。…に。ように。ほど
前の事柄が後の事柄の目的・結果・方法・程度などになるという意を表す「連結語尾」。<ほうしき【方式】>

흔들다 (どうし) : 무엇을 좌우, 앞뒤로 자꾸 움직이게 하다.
ふる【振る】
何かを前後左右に何度も動かすようにする。

-어요 : (두루높임으로) 어떤 사실을 서술하거나 질문, 명령, 권유함을 나타내는 종결 어미.
ます。です。ますか。ですか。てください
(略待上称) ある事実を叙述したり質問、命令、勧誘する意を表す「終結語尾」。<めいれい【命令】>

다 함께 춤+을 추+어요.
춰요

다 (ふくし) : 남거나 빠진 것이 없이 모두.
ぜんぶ【全部】。すべて【全て】。みな【皆】。のこらず【残らず】。もれなく
残ったり、漏れたものがなく、全て。

함께 (ふくし) : 여럿이서 한꺼번에 같이.
いっしょに【一緒に】。ともに【共に】
複数の人がともに。

춤 (めいし) : 음악이나 규칙적인 박자에 맞춰 몸을 움직이는 것.
おどり【踊り】。ぶよう【舞踊】。ぶとう【舞踏】。まい【舞い】。ダンス
音楽や規則的なリズムに合わせて身体を動かすこと。

을 : 서술어의 명사형 목적어임을 나타내는 조사.
を
述語の名詞形目的語であることを表す助詞。

추다 (どうし) : 춤 동작을 하다.
おどる【踊る】。まう【舞う】
舞踊の動作をする。

-어요 : (두루높임으로) 어떤 사실을 서술하거나 질문, 명령, 권유함을 나타내는 종결 어미.
ます。です。ますか。ですか。てください
(略待上称) ある事実を叙述したり質問、命令、勧誘する意を表す「終結語尾」。<めいれい【命令】>

즐겁+게 흔들+어요.

즐겁다 (けいようし) : 마음에 들어 흐뭇하고 기쁘다.
たのしい【楽しい】
気に入って喜ばしく思い、うれしい。

-게 : 앞의 말이 뒤에서 가리키는 일의 목적이나 결과, 방식, 정도 등이 됨을 나타내는 연결 어미.
…く。…に。ように。ほど
前の事柄が後の事柄の目的・結果・方法・程度などになるという意を表す「連結語尾」。 <ほうしき【方式】>

흔들다 (どうし) : 무엇을 좌우, 앞뒤로 자꾸 움직이게 하다.
ふる【振る】
何かを前後左右に何度も動かすようにする。

-어요 : (두루높임으로) 어떤 사실을 서술하거나 질문, 명령, 권유함을 나타내는 종결 어미.
ます。です。ますか。ですか。てください
(略待上称) ある事実を叙述したり質問、命令、勧誘する意を表す「終結語尾」。 <めいれい【命令】>

우리 모두 춤+을 추+어요.
춰요

우리 (だいめいし) : 말하는 사람이 자기와 듣는 사람 또는 이를 포함한 여러 사람들을 가리키는 말.
わたくしたち【私達】
話し手が自分と聞き手、またそれを含めた複数の人たちを指す語。

모두 (ふくし) : 빠짐없이 다.
みんな。みな【皆】。すべて
欠如なしに全部。

춤 (めいし) : 음악이나 규칙적인 박자에 맞춰 몸을 움직이는 것.
おどり【踊り】。ぶよう【舞踊】。ぶとう【舞踏】。まい【舞い】。ダンス
音楽や規則的なリズムに合わせて身体を動かすこと。

을 : 서술어의 명사형 목적어임을 나타내는 조사.
を
述語の名詞形目的語であることを表す助詞。

추다 (どうし) : 춤 동작을 하다.
おどる【踊る】。まう【舞う】
舞踊の動作をする。

-어요 : (두루높임으로) 어떤 사실을 서술하거나 질문, 명령, 권유함을 나타내는 종결 어미.
ます。 です。 ますか。 ですか。 てください
(略待上称) ある事実を叙述したり質問、命令、勧誘する意を表す「終結語尾」。 <めいれい【命令】>

< 3 절(せつ【節】) >

머리, 어깨, 무릎, 발, 무릎, 발, 머리, 어깨, 무릎, 발, 무릎, 발

머리 (めいし) : 사람이나 동물의 몸에서 얼굴과 머리털이 있는 부분을 모두 포함한 목 위의 부분.
あたま【頭】。 とうぶ【頭部】
人間や動物の体で、顔と髪の毛が生えている部分を全て含めた、首の上の部分。

어깨 (めいし) : 목의 아래 끝에서 팔의 위 끝에 이르는 몸의 부분.
かた【肩】
首の付け根から腕が胴体に接続する部分の上部にかけての部分。

무릎 (めいし) : 허벅지와 종아리 사이에 앞쪽으로 둥글게 튀어나온 부분.
ひざ【膝】。 ひざがしら【膝頭】
太ももとすねの間で、丸く前に突き出ている部分。

발 (めいし) : 사람이나 동물의 다리 맨 끝부분.
あし【足】
人間や動物の脚の末端部分。

머리, 어깨, 무릎, 발, 머리, 어깨, 무릎, 발

머리 (めいし) : 사람이나 동물의 몸에서 얼굴과 머리털이 있는 부분을 모두 포함한 목 위의 부분.
あたま【頭】。 とうぶ【頭部】
人間や動物の体で、顔と髪の毛が生えている部分を全て含めた、首の上の部分。

어깨 (めいし) : 목의 아래 끝에서 팔의 위 끝에 이르는 몸의 부분.
かた【肩】
首の付け根から腕が胴体に接続する部分の上部にかけての部分。

무릎 (めいし) : 허벅지와 종아리 사이에 앞쪽으로 둥글게 튀어나온 부분.
ひざ【膝】。 ひざがしら【膝頭】
太ももとすねの間で、丸く前に突き出ている部分。

발 (めいし) : 사람이나 동물의 다리 맨 끝부분.
あし【足】
人間や動物の脚の末端部分。

머리, 어깨, 무릎, 발, 머리, 어깨, 무릎, 발

머리 (めいし) : 사람이나 동물의 몸에서 얼굴과 머리털이 있는 부분을 모두 포함한 목 위의 부분.
あたま【頭】。とうぶ【頭部】
人間や動物の体で、顔と髪の毛が生えている部分を全て含めた、首の上の部分。

어깨 (めいし) : 목의 아래 끝에서 팔의 위 끝에 이르는 몸의 부분.
かた【肩】
首の付け根から腕が胴体に接続する部分の上部にかけての部分。

무릎 (めいし) : 허벅지와 종아리 사이에 앞쪽으로 둥글게 튀어나온 부분.
ひざ【膝】。ひざがしら【膝頭】
太ももとすねの間で、丸く前に突き出ている部分。

발 (めいし) : 사람이나 동물의 다리 맨 끝부분.
あし【足】
人間や動物の脚の末端部分。

< 4 >

어때요?

나 어때요?
(私はどうですか？)

[발음(はつおん【発音】)]

< 1 절(せつ【節】) >

청바지 입었는데 어때요?
청바지 이번는데 어때요?
cheongbaji ibeonneunde eottaeyo?

치마 입었는데 어때요?
치마 이번는데 어때요?
chima ibeonneunde eottaeyo?

반바지는?
반바지는?
banbajineun?

원피스는?
원피스는?
wonpiseuneun?

어때요? 어때요? 어때요? 어때요? 어때요?
어때요? 어때요? 어때요? 어때요? 어때요?
eottaeyo? eottaeyo? eottaeyo? eottaeyo? eottaeyo?

머리 묶었는데 어때요?
머리 무껀는데 어때요?
meori mukkeonneunde eottaeyo?

머리 풀었는데 어때요?
머리 푸런는데 어때요?
meori pureonneunde eottaeyo?

긴 머리는?
긴 머리는?
gin meorineun?

짧은 머리는?
짤븐 머리는?
jjalbeun meorineun?

어때요? 어때요? 어때요? 어때요? 어때요?
어때요? 어때요? 어때요? 어때요? 어때요?
eottaeyo? eottaeyo? eottaeyo? eottaeyo? eottaeyo?

제 눈과 코와 입술이 얼마나 예뻐 보이나요?
제 눈과 코와 입쑤리 얼마나 예뻐 보이나요?
je nungwa kowa ipsuri eolmana yeppeo boinayo?

나 어때요?
나 어때요?
na eottaeyo?

나 예뻐요?
나 예뻐요?
na yeppeoyo?

어때요? 어때요? 어때요? 어때요? 어때요?
어때요? 어때요? 어때요? 어때요? 어때요?
eottaeyo? eottaeyo? eottaeyo? eottaeyo? eottaeyo?

< 2 절(せつ【節】) >

운동화 신었는데 어때요?
운동화 시넌는데 어때요?
undonghwa sineonneunde eottaeyo?

구두 신었는데 어때요?
구두 시넌는데 어때요?
gudu sineonneunde eottaeyo?

검은색은?
거믄새근?
geomeunsaegeun?

흰색은?
힌새근?
hinsaegeun?

어때요? 어때요? 어때요? 어때요? 어때요?
어때요? 어때요? 어때요? 어때요? 어때요?
eottaeyo? eottaeyo? eottaeyo? eottaeyo? eottaeyo?

목걸이 찼는데 어때요?
목꺼리 찬는데 어때요?
mokgeori channeunde eottaeyo?

반지 끼었는데 어때요?
반지 끼언는데 어때요?
banji kkieonneunde eottaeyo?

귀걸이는?

귀거리는?

gwigeorineun?

팔찌는?

팔찌는?

paljjineun?

어때요? 어때요? 어때요? 어때요? 어때요?

어때요? 어때요? 어때요? 어때요? 어때요?

eottaeyo? eottaeyo? eottaeyo? eottaeyo? eottaeyo?

제 눈과 코와 입술이 얼마나 예뻐 보이나요?

제 눈과 코와 입쑤리 얼마나 예뻐 보이나요?

je nungwa kowa ipsuri eolmana yeppeo boinayo?

나 어때요?

나 어때요?

na eottaeyo?

나 예뻐요?

나 예뻐요?

na yeppeoyo?

어때요? 어때요? 어때요? 어때요? 어때요?

어때요? 어때요? 어때요? 어때요? 어때요?

eottaeyo? eottaeyo? eottaeyo? eottaeyo? eottaeyo?

< 1 절(せつ【節】) >

청바지 입+었+는데 <u>어떻+어요</u>?
                    어때요

청바지 (めいし) : 질긴 무명으로 만든 푸른색 바지.
ジーンズ。ジーパン。デニム
丈夫な綿布で作った青色のズボン。

입다 (どうし) : 옷을 몸에 걸치거나 두르다.
きる【着る・著る】。はく【穿く】
衣類などを身につける。

-었- : 어떤 사건이 과거에 완료되었거나 그 사건의 결과가 현재까지 지속되는 상황을 나타내는 어미.
た。ている
ある出来事が過去に完了したことや、その出来事の結果が現在まで持続している状況を表す語尾。

-는데 : 뒤의 말을 하기 위하여 그 대상과 관련이 있는 상황을 미리 말함을 나타내는 연결 어미.
が。けど
何かを言うための前置きとして、それと関連した状況を前もって述べるという意を表す「連結語尾」。

어떻다 (けいようし) : 생각, 느낌, 상태, 형편 등이 어찌 되어 있다.
どうだ
考え、感じ、状態、都合などがどういうふうになっている。

-어요 : (두루높임으로) 어떤 사실을 서술하거나 질문, 명령, 권유함을 나타내는 종결 어미.
ます。です。ますか。ですか。てください
(略待上称) ある事実を叙述したり質問、命令、勧誘する意を表す「終結語尾」。<しつもん【質問】>

치마 입+었+는데 <u>어떻+어요</u>?
                    어때요

치마 (めいし) : 여자가 입는 아래 겉옷으로 다리가 들어가도록 된 부분이 없는 옷.
スカート
下半身を覆う女性服で、両足をそれぞれ入れる部分のない服。

입다 (どうし) : 옷을 몸에 걸치거나 두르다.
きる【着る・著る】。はく【穿く】
衣類などを身につける。

-었- : 어떤 사건이 과거에 완료되었거나 그 사건의 결과가 현재까지 지속되는 상황을 나타내는 어미.
た。ている
ある出来事が過去に完了したことや、その出来事の結果が現在まで持続している状況を表す語尾。

-는데 : 뒤의 말을 하기 위하여 그 대상과 관련이 있는 상황을 미리 말함을 나타내는 연결 어미.
が。けど
何かを言うための前置きとして、それと関連した状況を前もって述べるという意を表す「連結語尾」。

어떻다 (けいようし) : 생각, 느낌, 상태, 형편 등이 어찌 되어 있다.
どうだ
考え、感じ、状態、都合などがどういうふうになっている。

-어요 : (두루높임으로) 어떤 사실을 서술하거나 질문, 명령, 권유함을 나타내는 종결 어미.
ます。です。ますか。ですか。てください
(略待上称) ある事実を叙述したり質問、命令、勧誘する意を表す「終結語尾」。<しつもん【質問】>

반바지+는?

반바지 (めいし) : 길이가 무릎 위나 무릎 정도까지 내려오는 짧은 바지.
はんズボン【半ズボン】
丈が膝上か膝ぐらいの短いズボン。

는 : 문장 속에서 어떤 대상이 화제임을 나타내는 조사.
は
文の中で、ある対象が話題であることを表す助詞。

원피스+는?

원피스 (めいし) : 윗옷과 치마가 하나로 붙어 있는 여자 겉옷.
ワンピース
上着とスカートとが一続きになった婦人服。

는 : 문장 속에서 어떤 대상이 화제임을 나타내는 조사.
は
文の中で、ある対象が話題であることを表す助詞。

<u>어떻+어요</u>?
어때요

어떻다 (けいようし) : 생각, 느낌, 상태, 형편 등이 어찌 되어 있다.
どうだ
考え、感じ、状態、都合などがどういうふうになっている。

-어요 : (두루높임으로) 어떤 사실을 서술하거나 질문, 명령, 권유함을 나타내는 종결 어미.
ます。です。ますか。ですか。てください
(略待上称) ある事実を叙述したり質問、命令、勧誘する意を表す「終結語尾」。<しつもん【質問】>

<u>머리 묶+었+는데 어떻+어요</u>?
어때요

머리 (めいし) : 머리에 난 털.
かみ【髪】。かみのけ【髪の毛】。とうはつ【頭髪】
頭に生えている毛。

묶다 (どうし) : 끈 등으로 물건을 잡아매다.
むすぶ【結ぶ】。くくる【括る】。しばる【縛る】。たばねる【束ねる】
紐などで物を一つにまとめる。

-었- : 어떤 사건이 과거에 완료되었거나 그 사건의 결과가 현재까지 지속되는 상황을 나타내는 어미.
た。ている
ある出来事が過去に完了したことや、その出来事の結果が現在まで持続している状況を表す語尾。

-는데 : 뒤의 말을 하기 위하여 그 대상과 관련이 있는 상황을 미리 말함을 나타내는 연결 어미.
が。けど
何かを言うための前置きとして、それと関連した状況を前もって述べるという意を表す「連結語尾」。

어떻다 (けいようし) : 생각, 느낌, 상태, 형편 등이 어찌 되어 있다.
どうだ
考え、感じ、状態、都合などがどういうふうになっている。

-어요 : (두루높임으로) 어떤 사실을 서술하거나 질문, 명령, 권유함을 나타내는 종결 어미.
ます。です。ますか。ですか。てください
(略待上称) ある事実を叙述したり質問、命令、勧誘する意を表す「終結語尾」。<しつもん【質問】>

머리 풀+었+는데 <u>어떻+어요</u>?
어때요

머리 (めいし) : 머리에 난 털.
かみ【髪】。かみのけ【髪の毛】。とうはつ【頭髪】
頭に生えている毛。

풀다 (どうし) : 매이거나 묶이거나 얽힌 것을 원래의 상태로 되게 하다.
ほどく【解く】。ときほぐす【解きほぐす】
結んだり縛ったり、もつれたりしているものを元に戻す。

-었- : 어떤 사건이 과거에 완료되었거나 그 사건의 결과가 현재까지 지속되는 상황을 나타내는 어미.
た。ている
ある出来事が過去に完了したことや、その出来事の結果が現在まで持続している状況を表す語尾。

-는데 : 뒤의 말을 하기 위하여 그 대상과 관련이 있는 상황을 미리 말함을 나타내는 연결 어미.
が。けど
何かを言うための前置きとして、それと関連した状況を前もって述べるという意を表す「連結語尾」。

어떻다 (けいようし) : 생각, 느낌, 상태, 형편 등이 어찌 되어 있다.
どうだ
考え、感じ、状態、都合などがどういうふうになっている。

-어요 : (두루높임으로) 어떤 사실을 서술하거나 질문, 명령, 권유함을 나타내는 종결 어미.
ます。です。ますか。ですか。てください
(略待上称) ある事実を叙述したり質問、命令、勧誘する意を表す「終結語尾」。<しつもん【質問】>

길(기)+ㄴ 머리+는?
긴

길다 (けいようし) : 물체의 한쪽 끝에서 다른 쪽 끝까지 두 끝이 멀리 떨어져 있다.
ながい【長い】
物体の端からもう片方の端までとても離れている。

-ㄴ : 앞의 말이 관형어의 기능을 하게 만들고 현재의 상태를 나타내는 어미.
た
前の言葉に連体修飾語の機能を持たせ、現在の状態を表す「語尾」。

머리 (めいし) : 머리에 난 털.
かみ【髪】。かみのけ【髪の毛】。とうはつ【頭髪】
頭に生えている毛。

는 : 문장 속에서 어떤 대상이 화제임을 나타내는 조사.
は
文の中で、ある対象が話題であることを表す助詞。

짧+은 머리+는?

짧다 (けいようし) : 공간이나 물체의 양 끝 사이가 가깝다.
みじかい【短い】
空間や物体の端から端までの隔たりが小さくて近い。

-은 : 앞의 말이 관형어의 기능을 하게 만들고 현재의 상태를 나타내는 어미.
た。ている
前の言葉に連体修飾語の機能を持たせ、現在の状態の意を表す語尾。

머리 (めいし) : 머리에 난 털.
かみ【髪】。かみのけ【髪の毛】。とうはつ【頭髪】
頭に生えている毛。

는 : 문장 속에서 어떤 대상이 화제임을 나타내는 조사.
は
文の中で、ある対象が話題であることを表す助詞。

어떻+어요?
어때요

어떻다 (けいようし) : 생각, 느낌, 상태, 형편 등이 어찌 되어 있다.
どうだ
考え、感じ、状態、都合などがどういうふうになっている。

-어요 : (두루높임으로) 어떤 사실을 서술하거나 질문, 명령, 권유함을 나타내는 종결 어미.
ます。です。ますか。ですか。てください
(略待上称) ある事実を叙述したり質問、命令、勧誘する意を表す「終結語尾」。<しつもん【質問】>

저+의 눈+과 코+와 입술+이 얼마나 예쁘(예쁘)+[어 보이]+나요?
제 　　　　　　　　　　　　　　예뻐 보이나요

저 (だいめいし) : 말하는 사람이 듣는 사람에게 자신을 낮추어 가리키는 말.
わたくし【私】
目上の人に対して自分をへりくだっていう語。

의 : 앞의 말이 뒤의 말에 대하여 소유, 소속, 소재, 관계, 기원, 주체의 관계를 가짐을 나타내는 조사.
の
前の言葉が後ろの言葉に対し、所有、所在、関係、起源、主体の関係を持つことを表す助詞。

눈 (めいし) : 사람이나 동물의 얼굴에 있으며 빛의 자극을 받아 물체를 볼 수 있는 감각 기관.
め【目・眼】
人や動物の顔にあり、光の刺激を受けて物を見る働きをする感覚器官。

과 : 앞과 뒤의 명사를 같은 자격으로 이어 줄 때 쓰는 조사.
と
前後の名詞を同等な資格でつなぐ時に用いる助詞。

코 (めいし) : 숨을 쉬고 냄새를 맡는 몸의 한 부분.
はな【鼻】
息をして、においを嗅ぐ身体の一部。

와 : 앞과 뒤의 명사를 같은 자격으로 이어주는 조사.
と
前後の名詞を同格でつなぐ助詞。

입술 (めいし) : 사람의 입 주위를 둘러싸고 있는 붉고 부드러운 살.
くちびる【唇】
人の口を囲む赤くて柔らかい皮膚。

이 : 어떤 상태나 상황의 대상이나 동작의 주체를 나타내는 조사.
が
ある状態・状況の対象や動作の主体を表す助詞。

얼마나 (ふくし) : 어느 정도나.
どれぐらい。いくらぐらい
どの程度。

예쁘다 (けいようし) : 생긴 모양이 눈으로 보기에 좋을 만큼 아름답다.
きれいだ【綺麗だ・奇麗だ】。かわいい【可愛い】
目に見て心地よいほど美しい。

-어 보이다 : 겉으로 볼 때 앞의 말이 나타내는 것처럼 느껴지거나 추측됨을 나타내는 표현.
てみえる。くみえる。にみえる。そうだ
見かけでは前の言葉の表す状態のように見えたり思われるという意を表す表現。

-나요 : (두루높임으로) 앞의 내용에 대해 상대방에게 물어볼 때 쓰는 표현.
ですか。ますか
(略待上称) 前の内容について相手に尋ねるのに用いる表現。

나 <u>어떻+어요</u>?
어때요

나 (だいめいし) : 말하는 사람이 친구나 아랫사람에게 자기를 가리키는 말.
わたし【私】。ぼく【僕】。おれ【俺】。じぶん【自分】
話し手が友人や目下の人に対し、自分をさす語。

어떻다 (けいようし) : 생각, 느낌, 상태, 형편 등이 어찌 되어 있다.
どうだ
考え、感じ、状態、都合などがどういうふうになっている。

-어요 : (두루높임으로) 어떤 사실을 서술하거나 질문, 명령, 권유함을 나타내는 종결 어미.
ます。です。ますか。ですか。てください
(略待上称) ある事実を叙述したり質問、命令、勧誘する意を表す「終結語尾」。<しつもん【質問】>

나 <u>예쁘(예뻐)+어요</u>?
예뻐요

나 (だいめいし) : 말하는 사람이 친구나 아랫사람에게 자기를 가리키는 말.
わたし【私】。ぼく【僕】。おれ【俺】。じぶん【自分】
話し手が友人や目下の人に対し、自分をさす語。

예쁘다 (けいようし) : 생긴 모양이 눈으로 보기에 좋을 만큼 아름답다.
きれいだ【綺麗だ・奇麗だ】。かわいい【可愛い】
目に見て心地よいほど美しい。

-어요 : (두루높임으로) 어떤 사실을 서술하거나 질문, 명령, 권유함을 나타내는 종결 어미.
ます。です。ますか。ですか。てください
(略待上称) ある事実を叙述したり質問、命令、勧誘する意を表す「終結語尾」。<しつもん【質問】>

<u>어떻+어요</u>?
어때요

어떻다 (けいようし) : 생각, 느낌, 상태, 형편 등이 어찌 되어 있다.
どうだ
考え、感じ、状態、都合などがどういうふうになっている。

-어요 : (두루높임으로) 어떤 사실을 서술하거나 질문, 명령, 권유함을 나타내는 종결 어미.
ます。です。ますか。ですか。てください
(略待上称) ある事実を叙述したり質問、命令、勧誘する意を表す「終結語尾」。 <しつもん【質問】>

< 2 절(せつ【節】) >

운동화 신+었+는데 어떻+어요?
어때요

운동화 (めいし) : 운동을 할 때 신도록 만든 신발.
うんどうぐつ【運動靴】
運動をする時に履く靴。

신다 (どうし) : 신발이나 양말 등의 속으로 발을 넣어 발의 전부나 일부를 덮다.
はく【履く】
靴や靴下などの中に足を入れ、足の全部、または一部を覆う。

-었- : 어떤 사건이 과거에 완료되었거나 그 사건의 결과가 현재까지 지속되는 상황을 나타내는 어미.
た。ている
ある出来事が過去に完了したことや、その出来事の結果が現在まで持続している状況を表す語尾。

-는데 : 뒤의 말을 하기 위하여 그 대상과 관련이 있는 상황을 미리 말함을 나타내는 연결 어미.
が。けど
何かを言うための前置きとして、それと関連した状況を前もって述べるという意を表す「連結語尾」。

어떻다 (けいようし) : 생각, 느낌, 상태, 형편 등이 어찌 되어 있다.
どうだ
考え、感じ、状態、都合などがどういうふうになっている。

-어요 : (두루높임으로) 어떤 사실을 서술하거나 질문, 명령, 권유함을 나타내는 종결 어미.
ます。です。ますか。ですか。てください
(略待上称) ある事実を叙述したり質問、命令、勧誘する意を表す「終結語尾」。 <しつもん【質問】>

구두 신+었+는데 어떻+어요?
어때요

구두 (めいし) : 정장을 입었을 때 신는 가죽, 비닐 등으로 만든 신발.
くつ【靴】
スーツを着る時に履く革やビニールなどで作られた履き物。

신다 (どうし) : 신발이나 양말 등의 속으로 발을 넣어 발의 전부나 일부를 덮다.
はく【履く】
靴や靴下などの中に足を入れ、足の全部、または一部を覆う。

-었- : 어떤 사건이 과거에 완료되었거나 그 사건의 결과가 현재까지 지속되는 상황을 나타내는 어미.
た。ている
ある出来事が過去に完了したことや、その出来事の結果が現在まで持続している状況を表す語尾。

-는데 : 뒤의 말을 하기 위하여 그 대상과 관련이 있는 상황을 미리 말함을 나타내는 연결 어미.
が。けど
何かを言うための前置きとして、それと関連した状況を前もって述べるという意を表す「連結語尾」。

어떻다 (けいようし) : 생각, 느낌, 상태, 형편 등이 어찌 되어 있다.
どうだ
考え、感じ、状態、都合などがどういうふうになっている。

-어요 : (두루높임으로) 어떤 사실을 서술하거나 질문, 명령, 권유함을 나타내는 종결 어미.
ます。です。ますか。ですか。てください
(略待上称) ある事実を叙述したり質問、命令、勧誘する意を表す「終結語尾」。<しつもん【質問】>

검은색+은?

검은색 (めいし) : 빛이 없을 때의 밤하늘과 같이 매우 어둡고 짙은 색.
くろいろ【黒色】
光がない時の夜空のようにとても暗くて濃い色。

은 : 문장 속에서 어떤 대상이 화제임을 나타내는 조사.
は
文章の中である対象が話題であることを表す助詞。

흰색+은?

흰색 (めいし) : 눈이나 우유와 같은 밝은 색.
はくしょく【白色】
雪や牛乳のように明るい色。

은 : 문장 속에서 어떤 대상이 화제임을 나타내는 조사.
は
文章の中である対象が話題であることを表す助詞。

어떻+어요?
어때요

어떻다 (けいようし) : 생각, 느낌, 상태, 형편 등이 어찌 되어 있다.
どうだ
考え、感じ、状態、都合などがどういうふうになっている。

-어요 : (두루높임으로) 어떤 사실을 서술하거나 질문, 명령, 권유함을 나타내는 종결 어미.
ます。です。ますか。ですか。てください
(略待上称) ある事実を叙述したり質問、命令、勧誘する意を表す「終結語尾」。<しつもん【質問】>

목걸이 차+았+는데 어떻+어요?
찼는데   어때요

목걸이 (めいし) : 보석 등을 줄에 꿰어서 목에 거는 장식품.
くびかざり【首飾り】。ネックレス
宝石などをつないで、首にかける装飾品。

차다 (どうし) : 물건을 허리나 팔목, 발목 등에 매어 달거나 걸거나 끼우다.
つける【着ける】。はめる
物を腰・手首・足首などに下げたり着けたり通す。

-았- : 어떤 사건이 과거에 완료되었거나 그 사건의 결과가 현재까지 지속되는 상황을 나타내는 어미.
た。ている
ある出来事が過去に完了したことや、その出来事の結果が現在まで持続している状況を表す語尾。

-는데 : 뒤의 말을 하기 위하여 그 대상과 관련이 있는 상황을 미리 말함을 나타내는 연결 어미.
が。けど
何かを言うための前置きとして、それと関連した状況を前もって述べるという意を表す「連結語尾」。

어떻다 (けいようし) : 생각, 느낌, 상태, 형편 등이 어찌 되어 있다.
どうだ
考え、感じ、状態、都合などがどういうふうになっている。

-어요 : (두루높임으로) 어떤 사실을 서술하거나 질문, 명령, 권유함을 나타내는 종결 어미.
ます。です。ますか。ですか。てください
(略待上称) ある事実を叙述したり質問、命令、勧誘する意を表す「終結語尾」。 <しつもん【質問】>

반지 끼+었+는데 어떻+어요?
어때요

반지 (めいし) : 손가락에 끼는 동그란 장신구.
ゆびわ【指輪】。リング
指にはめる輪状の装身具。

끼다 (どうし) : 무엇에 걸려 빠지지 않도록 꿰거나 꽂다.
はさむ【挟む】。さしこむ【差し込む】。はめる【填める】
何かに引っ掛かって落ちないように差し込む。

-었- : 어떤 사건이 과거에 완료되었거나 그 사건의 결과가 현재까지 지속되는 상황을 나타내는 어미.
た。ている
ある出来事が過去に完了したことや、その出来事の結果が現在まで持続している状況を表す語尾。

-는데 : 뒤의 말을 하기 위하여 그 대상과 관련이 있는 상황을 미리 말함을 나타내는 연결 어미.
が。けど
何かを言うための前置きとして、それと関連した状況を前もって述べるという意を表す「連結語尾」。

어떻다 (けいようし) : 생각, 느낌, 상태, 형편 등이 어찌 되어 있다.
どうだ
考え、感じ、状態、都合などがどういうふうになっている。

-어요 : (두루높임으로) 어떤 사실을 서술하거나 질문, 명령, 권유함을 나타내는 종결 어미.
ます。です。ますか。ですか。てください
(略待上称) ある事実を叙述したり質問、命令、勧誘する意を表す「終結語尾」。 <しつもん【質問】>

귀걸이+는?

귀걸이 (めいし) : 귀에 다는 장식품.
みみかざり【耳飾り】。イヤリング。ピアス
耳につける装身具。

는 : 문장 속에서 어떤 대상이 화제임을 나타내는 조사.
は
文の中で、ある対象が話題であることを表す助詞。

팔찌+는?

팔찌 (めいし) : 팔목에 끼는, 금, 은, 가죽 등으로 만든 장식품.
フレスレット。バングル。うでわ【腕輪】
金・銀・皮などでつくられた、手腕にはめる装飾品。

는 : 문장 속에서 어떤 대상이 화제임을 나타내는 조사.
は
文の中で、ある対象が話題であることを表す助詞。

어떻+어요?
어때요

어떻다 (けいようし) : 생각, 느낌, 상태, 형편 등이 어찌 되어 있다.
どうだ
考え、感じ、状態、都合などがどういうふうになっている。

-어요 : (두루높임으로) 어떤 사실을 서술하거나 질문, 명령, 권유함을 나타내는 종결 어미.
ます。です。ますか。ですか。てください
(略待上称) ある事実を叙述したり質問、命令、勧誘する意を表す「終結語尾」。<しつもん【質問】>

저+의 눈+과 코+와 입술+이 얼마나 예쁘(예뻐)+[어 보이]+나요?
제   예뻐 보이나요

저 (だいめいし) : 말하는 사람이 듣는 사람에게 자신을 낮추어 가리키는 말.
わたくし【私】
目上の人に対して自分をへりくだっていう語。

의 : 앞의 말이 뒤의 말에 대하여 소유, 소속, 소재, 관계, 기원, 주체의 관계를 가짐을 나타내는 조사.
の
前の言葉が後ろの言葉に対し、所有、所在、関係、起源、主体の関係を持つことを表す助詞。

눈 (めいし) : 사람이나 동물의 얼굴에 있으며 빛의 자극을 받아 물체를 볼 수 있는 감각 기관.
め【目・眼】
人や動物の顔にあり、光の刺激を受けて物を見る働きをする感覚器官。

과 : 앞과 뒤의 명사를 같은 자격으로 이어 줄 때 쓰는 조사.
と
前後の名詞を同等な資格でつなぐ時に用いる助詞。

코 (めいし) : 숨을 쉬고 냄새를 맡는 몸의 한 부분.
はな【鼻】
息をして、においを嗅ぐ身体の一部。

와 : 앞과 뒤의 명사를 같은 자격으로 이어주는 조사.
と
前後の名詞を同格でつなぐ助詞。

입술 (めいし) : 사람의 입 주위를 둘러싸고 있는 붉고 부드러운 살.
くちびる【唇】
人の口を囲む赤くて柔らかい皮膚。

이 : 어떤 상태나 상황의 대상이나 동작의 주체를 나타내는 조사.
が
ある状態・状況の対象や動作の主体を表す助詞。

얼마나 (ふくし) : 어느 정도나.
どれぐらい。いくらぐらい
どの程度。

예쁘다 (けいようし) : 생긴 모양이 눈으로 보기에 좋을 만큼 아름답다.
きれいだ【綺麗だ・奇麗だ】。かわいい【可愛い】
目に見て心地よいほど美しい。

-어 보이다 : 겉으로 볼 때 앞의 말이 나타내는 것처럼 느껴지거나 추측됨을 나타내는 표현.
てみえる。くみえる。にみえる。そうだ
見かけでは前の言葉の表す状態のように見えたり思われるという意を表す表現。

-나요 : (두루높임으로) 앞의 내용에 대해 상대방에게 물어볼 때 쓰는 표현.
ですか。ますか
(略待上称) 前の内容について相手に尋ねるのに用いる表現。

나 어떻+어요?
　　어때요

나 (だいめいし) : 말하는 사람이 친구나 아랫사람에게 자기를 가리키는 말.
わたし【私】。ぼく【僕】。おれ【俺】。じぶん【自分】
話し手が友人や目下の人に対し、自分をさす語。

어떻다 (けいようし) : 생각, 느낌, 상태, 형편 등이 어찌 되어 있다.
どうだ
考え、感じ、状態、都合などがどういうふうになっている。

-어요 : (두루높임으로) 어떤 사실을 서술하거나 질문, 명령, 권유함을 나타내는 종결 어미.
ます。です。ますか。ですか。てください
(略待上称) ある事実を叙述したり質問、命令、勧誘する意を表す「終結語尾」。 <しつもん【質問】>

나 예쁘(예뻐)+어요?
예뻐요

나 (だいめいし) : 말하는 사람이 친구나 아랫사람에게 자기를 가리키는 말.
わたし【私】。ぼく【僕】。おれ【俺】。じぶん【自分】
話し手が友人や目下の人に対し、自分をさす語。

예쁘다 (けいようし) : 생긴 모양이 눈으로 보기에 좋을 만큼 아름답다.
きれいだ【綺麗だ・奇麗だ】。かわいい【可愛い】
目に見て心地よいほど美しい。

-어요 : (두루높임으로) 어떤 사실을 서술하거나 질문, 명령, 권유함을 나타내는 종결 어미.
ます。です。ますか。ですか。てください
(略待上称) ある事実を叙述したり質問、命令、勧誘する意を表す「終結語尾」。 <しつもん【質問】>

어떻+어요?
어때요

어떻다 (けいようし) : 생각, 느낌, 상태, 형편 등이 어찌 되어 있다.
どうだ
考え、感じ、状態、都合などがどういうふうになっている。

-어요 : (두루높임으로) 어떤 사실을 서술하거나 질문, 명령, 권유함을 나타내는 종결 어미.
ます。です。ますか。ですか。てください
(略待上称) ある事実を叙述したり質問、命令、勧誘する意を表す「終結語尾」。 <しつもん【質問】>

< 5 >

하늘, 땅, 사람
(てん【天】)
(ち【地】)
(ひと【人】)

[발음(はつおん【発音】)]

< 1 절(せつ【節】) >

하늘에서 비가 내린다고 하는 걸 보니 하늘은 위인가요?
하느레서 비가 내린다고 하는 걸 보니 하느른 위인가요?
haneureseo biga naerindago haneun geol boni haneureun wiingayo?

그 비가 땅을 적신다고 하는 걸 보니 그럼 땅은 아래인가 보네요.
그 비가 땅을 적씬다고 하는 걸 보니 그럼 땅은 아래인가 보네요.
geu biga ttangeul jeoksindago haneun geol boni geureom ttangeun araeinga boneyo.

땅을 밟고 서서 하늘을 바라보는 사람은 하늘과 땅 사이에 있는 거겠군요.
땅을 밥꼬 서서 하느를 바라보는 사라믄 하늘과 땅 사이에 인는 거겓꾸뇨.
ttangeul bapgo seoseo haneureul baraboneun sarameun haneulgwa ttang saie inneun geogetgunyo.

그 사이에 갇혀 지지고 볶으며 오늘도 나는 살아가고 있네요.
그 사이에 가처 지지고 보끄며 오늘도 나는 사라가고 인네요.
geu saie gacheo jijigo bokkeumyeo oneuldo naneun saragago inneyo.

땅에 갇혀 사는 것은 이제 너무 지겨워요.
땅에 가처 사는 거슨 이제 너무 지겨워요.
ttange gacheo saneun geoseun ije neomu jigyeowoyo.

움츠린 가슴을 펴고 하늘 끝까지 날아올라 봐요.
움츠린 가스믈 펴고 하늘 끋까지 나라올라 봐요.
umcheurin gaseumeul pyeogo haneul kkeutkkaji naraolla bwayo.

우리 모두 거기서 행복하게 살아 봐요.
우리 모두 거기서 행보카게 사라 봐요.
uri modu geogiseo haengbokage sara bwayo.

< 후렴(くりかえし【繰り返し】) >

이제부터는 지금부터는
이제부터는 지금부터는
ijebuteoneun jigeumbuteoneun

가슴이 시키는 대로 살아 봐요.
가스미 시키는 대로 사라 봐요.
gaseumi sikineun daero sara bwayo.

이제부터는 지금부터는
이제부터는 지금부터는
ijebuteoneun jigeumbuteoneun

가슴이 느끼는 대로 자유롭게
가스미 느끼는 대로 자유롭께
gaseumi neukkineun daero jayuropge

아무것도 신경 쓰지 마요.
아무걷또 신경 쓰지 마요.
amugeotdo singyeong sseuji mayo.

< 2 절(せつ【節】) >

아직까지 해가 뜨고 진 적은 한 번도 없었어요.
아직까지 해가 뜨고 진 저근 한 번도 업써써요.
ajikkkaji haega tteugo jin jeogeun han beondo eopseosseoyo.

이 땅에 사는 우리들만 어제도 오늘도 쉼 없이 돌고 돌고 또 돌아요.
이 땅에 사는 우리들만 어제도 오늘도 쉼 업씨 돌고 돌고 또 도라요.
i ttange saneun urideulman eojedo oneuldo swim eopsi dolgo dolgo tto dorayo.

배운 대로 남들이 시키는 대로 그렇게 사람들 사이에 숨어 살아가고 있죠.
배운 대로 남드리 시키는 대로 그러케 사람들 사이에 수머 사라가고 읻쬬.
baeun daero namdeuri sikineun daero geureoke saramdeul saie sumeo saragago itjyo.

그 사이에 갇혀 지지고 볶으며 오늘도 나는 살아가고 있네요.
그 사이에 가처 지지고 보끄며 오늘도 나는 사라가고 인네요.
geu saie gacheo jijigo bokkeumyeo oneuldo naneun saragago inneyo.

누가 시키는 대로 사는 것은 이제 너무 짜증이 나요.
누가 시키는 대로 사는 거슨 이제 너무 짜증이 나요.
nuga sikineun daero saneun geoseun ije neomu jjajeungi nayo.

바라고 원하는 생각들을 하늘 너머로 떠나보내요.
바라고 원하는 생각뜨를 하늘 너머로 떠나보내요.
barago wonhaneun saenggakdeureul haneul neomeoro tteonabonaeyo.

우리 모두 거기서 자유롭게 살아 봐요.
우리 모두 거기서 자유롭께 사라 봐요.
uri modu geogiseo jayuropge sara bwayo.

< 후렴(くりかえし【繰り返し】) >

우- 워- 이제부터는 지금부터는
우- 워- 이제부터는 지금부터는
u- wo- ijebuteoneun jigeumbuteoneun

이제부터는 지금부터는
이제부터는 지금부터는
ijebuteoneun jigeumbuteoneun

가슴이 시키는 대로 살아 봐요.
가스미 시키는 대로 사라 봐요.
gaseumi sikineun daero sara bwayo.

이제부터는 지금부터는
이제부터는 지금부터는
ijebuteoneun jigeumbuteoneun

가슴이 느끼는 대로 자유롭게
가스미 느끼는 대로 자유롭께
gaseumi neukkineun daero jayuropge

이제부터는 지금부터는
이제부터는 지금부터는
ijebuteoneun jigeumbuteoneun

(우리 모두 거기서)
(우리 모두 거기서)
(uri modu geogiseo)

가슴이 시키는 대로 살아 봐요.
가스미 시키는 대로 사라 봐요.
gaseumi sikineun daero sara bwayo.

(자유롭게 살아요)
(자유롭께 사라요)
(jayuropge sarayo)

이제부터는 지금부터는
이제부터는 지금부터는
ijebuteoneun jigeumbuteoneun

(우리 모두 거기서)
(우리 모두 거기서)
(uri modu geogiseo)

가슴이 느끼는 대로 자유롭게
가스미 느끼는 대로 자유롭께
gaseumi neukkineun daero jayuropge

(자유롭게)
(자유롭께)
(jayuropge)

그런 사람이었어요.
그런 사라미어써요.
geureon saramieosseoyo.

그런 인생이었어요.
그런 인생이어써요.
geureon insaengieosseoyo.

그렇게 기억해 줘요.
그러케 기어캐 줘요.
geureoke gieokae jwoyo.

<1 절(せつ【節】) >

하늘+에서 비+가 <u>내리+ㄴ다고</u> <u>하+[는 것(거)]+을</u> 보+니
　　　　내린다고　　　하는 걸

하늘 (めいし) : 땅 위로 펼쳐진 무한히 넓은 공간.
てん【天】。そら【空】
地上に無限に広がる空間。

에서 : 앞말이 출발점의 뜻을 나타내는 조사.
から
前の言葉が出発点の意を表す助詞。

비 (めいし) : 높은 곳에서 구름을 이루고 있던 수증기가 식어서 뭉쳐 떨어지는 물방울.
あめ【雨】
高いところで雲をつくっていた水蒸気が冷えて、一塊になって落ちてくる水滴。

가 : 어떤 상태나 상황에 놓인 대상이나 동작의 주체를 나타내는 조사.
が
ある状態や状況に置かれた対象、または動作の主体を表す助詞。

내리다 (どうし) : 눈이나 비 등이 오다.
ふる【降る】
雪や雨などが落ちて来る。

-ㄴ다고 : 다른 사람에게서 들은 내용을 간접적으로 전달하거나 주어의 생각, 의견 등을 나타내는 표현.
と
他人から聞いた話の内容を間接的に伝えたり主語の考えや意見などを表す表現。

하다 (どうし) : 무엇에 대해 말하다.
する【為る】
何かについて言う。

-는 것 : 명사가 아닌 것을 문장에서 명사처럼 쓰이게 하거나 '이다' 앞에 쓰일 수 있게 할 때 쓰는 표현.
こと。の。もの
名詞でないものを文中で名詞化し、「いだ」の前にくるようにするのに用いる表現。

을 : 동작이 직접적으로 영향을 미치는 대상을 나타내는 조사.
を
動作が直接的に影響を及ぼす対象を表す助詞。

보다 (どうし) : 무엇을 근거로 판단하다.
みる【見る】
何かを根拠に判断する。

-니 : 뒤에 오는 말에 대하여 앞에 오는 말이 원인이나 근거, 전제가 됨을 나타내는 연결 어미.
から。ので。ため。ゆえ【故】
後にくる事柄に対して前の事柄が原因や根拠・前提になるという意を表す「連結語尾」。

하늘+은 <u>위+이+ㄴ가요</u>?
위인가요

하늘 (めいし) : 땅 위로 펼쳐진 무한히 넓은 공간.
てん【天】。そら【空】
地上に無限に広がる空間。

은 : 문장 속에서 어떤 대상이 화제임을 나타내는 조사.
は
文章の中である対象が話題であることを表す助詞。

위 (めいし) : 어떤 기준보다 더 높은 쪽. 또는 중간보다 더 높은 쪽.
うえ【上】。かみ【上】
ある基準より高い方。また、中間より高い方。

이다 : 주어가 지시하는 대상의 속성이나 부류를 지정하는 뜻을 나타내는 서술격 조사.
だ。である
主語が指す対象の属性や部類を指定する意を表す叙述格助詞。

-ㄴ가요 : (두루높임으로) 현재의 사실에 대한 물음을 나타내는 종결 어미.
のか。なのか
(略待上称) 現在の事柄に対する質問の意を表す「終結語尾」。

그 비+가 땅+을 <u>적시+ㄴ다고</u> <u>하+[는 것(거)]+을</u> 보+니
적신다고   하는 걸

그 (かんけいし) : 앞에서 이미 이야기한 대상을 가리킬 때 쓰는 말.
その。あの。れいの【例の】
すでに話した対象をさすときに使う語。

비 (めいし) : 높은 곳에서 구름을 이루고 있던 수증기가 식어서 뭉쳐 떨어지는 물방울.
あめ【雨】
高いところで雲をつくっていた水蒸気が冷えて、一塊になって落ちてくる水滴。

가 : 어떤 상태나 상황에 놓인 대상이나 동작의 주체를 나타내는 조사.
が
ある状態や状況に置かれた対象、または動作の主体を表す助詞。

땅 (めいし) : 지구에서 물로 된 부분이 아닌 흙이나 돌로 된 부분.
ち【地】。とち【土地】。じめん【地面】。だいち【大地】
地球で水から成っている部分ではなく、土や石から成っている部分。

을 : 동작이 직접적으로 영향을 미치는 대상을 나타내는 조사.
を
動作が直接的に影響を及ぼす対象を表す助詞。

적시다 (どうし) : 물 등의 액체를 묻혀 젖게 하다.
ぬらす【濡らす】。ひたす【浸す】。しめす【湿す】
水などの液体でぬれるようにする。

-ㄴ다고 : 다른 사람에게서 들은 내용을 간접적으로 전달하거나 주어의 생각, 의견 등을 나타내는 표현.
と
他人から聞いた話の内容を間接的に伝えたり主語の考えや意見などを表す表現。

하다 (どうし) : 무엇에 대해 말하다.
する【為る】
何かについて言う。

-는 것 : 명사가 아닌 것을 문장에서 명사처럼 쓰이게 하거나 '이다' 앞에 쓰일 수 있게 할 때 쓰는 표현.
こと。の。もの
名詞でないものを文中で名詞化し、「이다」の前にくるようにするのに用いる表現。

을 : 동작이 직접적으로 영향을 미치는 대상을 나타내는 조사.
を
動作が直接的に影響を及ぼす対象を表す助詞。

보다 (どうし) : 무엇을 근거로 판단하다.
みる【見る】
何かを根拠に判断する。

-니 : 뒤에 오는 말에 대하여 앞에 오는 말이 원인이나 근거, 전제가 됨을 나타내는 연결 어미.
から。ので。ため。ゆえ【故】
後にくる事柄に対して前の事柄が原因や根拠・前提になるという意を表す「連結語尾」。

그럼 땅+은 아래+이+[ㄴ가 보]+네요.
아래인가 보네요

그럼 (ふくし) : 앞의 내용이 뒤의 내용의 조건이 될 때 쓰는 말.
それなら。ならば
前の内容が後ろの内容の条件になる時に用いる語。

땅 (めいし) : 지구에서 물로 된 부분이 아닌 흙이나 돌로 된 부분.
ち【地】。とち【土地】。じめん【地面】。だいち【大地】
地球で水から成っている部分ではなく、土や石から成っている部分。

은 : 문장 속에서 어떤 대상이 화제임을 나타내는 조사.
は
文章の中である対象が話題であることを表す助詞。

아래 (めいし) : 일정한 기준보다 낮은 위치.
した【下】
一定の基準より低い位置。

이다 : 주어가 지시하는 대상의 속성이나 부류를 지정하는 뜻을 나타내는 서술격 조사.
だ。である
主語が指す対象の属性や部類を指定する意を表す叙述格助詞。

-ㄴ가 보다 : 앞의 말이 나타내는 사실을 추측함을 나타내는 표현.
ようだ。らしい。みたいだ
前の言葉の表す事実を推測するという意を表す表現。

-네요 : (두루높임으로) 말하는 사람이 직접 경험하여 새롭게 알게 된 사실에 대해 감탄함을 나타낼 때 쓰는 표현.
ですね。ますね
(略待上称) 話し手が直接経験して新しく知ったことについて感嘆する意を表すのに用いる表現。

땅+을 밟+고 서+(어)서 하늘+을 바라보+는 사람+은
서서

땅 (めいし) : 지구에서 물로 된 부분이 아닌 흙이나 돌로 된 부분.
ち【地】。とち【土地】。じめん【地面】。だいち【大地】
地球で水から成っている部分ではなく、土や石から成っている部分。

을 : 동작이 직접적으로 영향을 미치는 대상을 나타내는 조사.
を
動作が直接的に影響を及ぼす対象を表す助詞。

밟다 (どうし) : 어떤 대상에 발을 올려놓고 서거나 올려놓으면서 걷다.
ふむ【踏む】
ある対象に足をのせて立ったり、足をのせて前へ進めたりする。

-고 : 앞의 말이 나타내는 행동이나 그 결과가 뒤에 오는 행동이 일어나는 동안에 그대로 지속됨을 나타내는 연결 어미.
て
前の言葉の表す動作やその結果が、次にくる動作が行われる間にもそのまま持続されるという意を表す「連結語尾」。

서다 (どうし) : 사람이나 동물이 바닥에 발을 대고 몸을 곧게 하다.
たつ【立つ】
人間や動物が地面に足をつけて体をまっすぐにする。

-어서 : 앞의 말과 뒤의 말이 순차적으로 일어남을 나타내는 연결 어미.
て。てから
前の事柄と後の事柄が順次に起こるという意を表す「連結語尾」。

하늘 (めいし) : 땅 위로 펼쳐진 무한히 넓은 공간.
てん【天】。そら【空】
地上に無限に広がる空間。

을 : 동작이 직접적으로 영향을 미치는 대상을 나타내는 조사.
を
動作が直接的に影響を及ぼす対象を表す助詞。

바라보다 (どうし) : 바로 향해 보다.
ながめる【眺める】。みつめる【見詰める】。のぞむ【望む】
正面から見る。

-는 : 앞의 말이 관형어의 기능을 하게 만들고 사건이나 동작이 현재 일어남을 나타내는 어미.
する。ている
前の言葉に連体修飾語の機能を持たせ、出来事や動作が現在進行中であるという意を表す語尾。

사람 (めいし) : 생각할 수 있으며 언어와 도구를 만들어 사용하고 사회를 이루어 사는 존재.
ひと【人】。にんげん【人間】。じんるい【人類】
考える力があり、言語と道具を使い、社会を作って生きる存在。

은 : 문장 속에서 어떤 대상이 화제임을 나타내는 조사.
は
文章の中である対象が話題であることを表す助詞。

하늘+과 땅 사이+에 있+[는 것(거)]+(이)+겠+군요.
있는 거겠군요

하늘 (めいし) : 땅 위로 펼쳐진 무한히 넓은 공간.
てん【天】。そら【空】
地上に無限に広がる空間。

과 : 앞과 뒤의 명사를 같은 자격으로 이어 줄 때 쓰는 조사.
と
前後の名詞を同等な資格でつなぐ時に用いる助詞。

땅 (めいし) : 지구에서 물로 된 부분이 아닌 흙이나 돌로 된 부분.
ち【地】。とち【土地】。じめん【地面】。だいち【大地】
地球で水から成っている部分ではなく、土や石から成っている部分。

사이 (めいし) : 한 물체에서 다른 물체까지 또는 한곳에서 다른 곳까지의 거리나 공간.
あいだ・ま【間】。かんかく【間隔】。あいま【合間】
物と物まで、または場所と場所までの距離や空間。

에 : 앞말이 어떤 장소나 자리임을 나타내는 조사.
に
前の言葉が場所や席であることを表す助詞。

있다 (けいようし) : 사람이나 동물이 어느 곳에 머무르거나 사는 상태이다.
いる【居る】
人や動物がある場所に留まったり住んだりしている状態だ。

-는 것 : 명사가 아닌 것을 문장에서 명사처럼 쓰이게 하거나 '이다' 앞에 쓰일 수 있게 할 때 쓰는 표현.
こと。の。もの
名詞でないものを文中で名詞化し、「이다」の前にくるようにするのに用いる表現。

이다 : 주어가 지시하는 대상의 속성이나 부류를 지정하는 뜻을 나타내는 서술격 조사.
だ。である
主語が指す対象の属性や部類を指定する意を表す叙述格助詞。

-겠- : 미래의 일이나 추측을 나타내는 어미.
だろう
未来の事や推量を表す語尾。

-군요 : (두루높임으로) 새롭게 알게 된 사실에 주목하거나 감탄함을 나타내는 표현.
んですね
（略待上称）ある事実を新しく確認したりそれに気づいて感嘆するという意を表す表現。

그 사이+에 갇히+어 [지지고 볶]+으며 오늘+도 나+는 살아가+[고 있]+네요.
갇혀

그 (かんけいし) : 앞에서 이미 이야기한 대상을 가리킬 때 쓰는 말.
その。あの。れいの【例の】
すでに話した対象をさすときに使う語。

사이 (めいし) : 한 물체에서 다른 물체까지 또는 한곳에서 다른 곳까지의 거리나 공간.
あいだ・ま【間】。かんかく【間隔】。あいま【合間】
物と物まで、または場所と場所までの距離や空間。

에 : 앞말이 어떤 장소나 자리임을 나타내는 조사.
に
前の言葉が場所や席であることを表す助詞。

갇히다 (どうし) : 어떤 공간이나 상황에서 나가지 못하게 되다.
とじこめられる【閉じ込められる】。かんきんされる【監禁される】
ある空間や状況から抜け出せなくなる。

-어 : 앞의 말이 뒤의 말보다 먼저 일어났거나 뒤의 말에 대한 방법이나 수단이 됨을 나타내는 연결 어미.
て
前の事柄が後の事柄より先に行われたか、後の事柄の方法や手段になるという意を表す「連結語尾」。

지지고 볶다 (かんようく) : 온갖 것을 겪으며 함께 살아가다.
焼いたり炒めたりする
あらゆることを一緒に経験して暮らして行く。

-으며 : 두 가지 이상의 동작이나 상태가 함께 일어남을 나타내는 연결 어미.
ながら
二つ以上の動作や状態が共に起こるという意を表す「連結語尾」。

오늘 (めいし) : 지금 지나가고 있는 이날.
きょう【今日】。ほんじつ【本日】
今過ごしているこの日。

도 : 이미 있는 어떤 것에 다른 것을 더하거나 포함함을 나타내는 조사.
も
既存の物事に他の物事を加えたり含ませたりするという意を表す助詞。

나 (だいめいし) : 말하는 사람이 친구나 아랫사람에게 자기를 가리키는 말.
わたし【私】。ぼく【僕】。おれ【俺】。じぶん【自分】
話し手が友人や目下の人に対し、自分をさす語。

는 : 문장 속에서 어떤 대상이 화제임을 나타내는 조사.
は
文の中で、ある対象が話題であることを表す助詞。

살아가다 (どうし) : 어떤 종류의 삶이나 시대 등을 견디며 생활해 나가다.
いきる【生きる】
ある種類の人生や時代などに耐えながら生活していく。

-고 있다 : 앞의 말이 나타내는 행동이 계속 진행됨을 나타내는 표현.
ている
前の言葉の表す行動が引き続き行われるという意を表す表現。

-네요 : (두루높임으로) 말하는 사람이 직접 경험하여 새롭게 알게 된 사실에 대해 감탄함을 나타낼 때 쓰는 표현.
ですね。ますね
(略待上称) 話し手が直接経験して新しく知ったことについて感嘆する意を表すのに用いる表現。

땅+에 갇히+어 살(사)+[는 것]+은 이제 너무 지겹(지겨우)+어요.
갇혀   사는 것은   지겨워요

땅 (めいし) : 지구에서 물로 된 부분이 아닌 흙이나 돌로 된 부분.
ち【地】。とち【土地】。じめん【地面】。だいち【大地】
地球で水から成っている部分ではなく、土や石から成っている部分。

에 : 앞말이 어떤 장소나 자리임을 나타내는 조사.
に
前の言葉が場所や席であることを表す助詞。

갇히다 (どうし) : 어떤 공간이나 상황에서 나가지 못하게 되다.
とじこめられる【閉じ込められる】。かんきんされる【監禁される】
ある空間や状況から抜け出せなくなる。

-어 : 앞의 말이 뒤의 말보다 먼저 일어났거나 뒤의 말에 대한 방법이나 수단이 됨을 나타내는 연결 어미.
とじこめられる【閉じ込められる】。かんきんされる【監禁される】
ある空間や状況から抜け出せなくなる。

살다 (どうし) : 사람이 생활을 하다.
くらす【暮らす】。せいかつする【生活する】
人間が生活をする。

-는 것 : 명사가 아닌 것을 문장에서 명사처럼 쓰이게 하거나 '이다' 앞에 쓰일 수 있게 할 때 쓰는 표현.
こと。の。もの
名詞でないものを文中で名詞化し、「이다」の前にくるようにするのに用いる表現。

은 : 문장 속에서 어떤 대상이 화제임을 나타내는 조사.
は
文章の中である対象が話題であることを表す助詞。

이제 (ふくし) : 지금의 시기가 되어.
いまや【今や】。もはや【最早】。もう
今では。

너무 (ふくし) : 일정한 정도나 한계를 훨씬 넘어선 상태로.
あまりに
一定の程度や限界をはるかに超えた状態で。

지겹다 (けいようし) : 같은 상태나 일이 반복되어 재미가 없고 지루하고 싶다.
たいくつだ【退屈だ】。あきあきする【飽き飽きする】。うんざりする
同じ状態やことが繰り返し続いてつまらなく感じ、退屈で嫌になる。

-어요 : (두루높임으로) 어떤 사실을 서술하거나 질문, 명령, 권유함을 나타내는 종결 어미.
ます。です。ますか。ですか。てください
(略待上称) ある事実を叙述したり質問、命令、勧誘する意を表す「終結語尾」。<じょじゅつ【叙述】>

움츠리+ㄴ 가슴+을 펴+고 하늘 끝+까지 날아오르(날아올ㄹ)+[아 보]+아요.
　　움츠린　　　　　　　　　　　　　　　　　**날아올라 봐요**

움츠리다 (どうし) : 몸이나 몸의 일부를 오그려 작아지게 하다.
ちぢこめる【縮こめる】。ひっこめる【引っ込める】
体や体の一部を縮めて小さくする。

-ㄴ : 앞의 말이 관형어의 기능을 하게 만들고 사건이나 동작이 완료되어 그 상태가 유지되고 있음을 나타내는 어미.
た。ている
前の言葉に連体修飾語の機能を持たせ、出来事や動作が完了してその状態が続いているという意を表す語尾。

가슴 (めいし) : 인간이나 동물의 목과 배 사이에 있는 몸의 앞 부분.
むね【胸】。きょうぶ【胸部】
人間や動物の首と腹の間にある、体の前面の部分。

을 : 동작이 직접적으로 영향을 미치는 대상을 나타내는 조사.
を
動作が直接的に影響を及ぼす対象を表す助詞。

펴다 (どうし) : 굽은 것을 곧게 하다. 또는 움츠리거나 오므라든 것을 벌리다.
のばす【伸ばす】
曲がったり、縮んだりしているものを、真っ直ぐにする。

-고 : 앞의 말이 나타내는 행동이나 그 결과가 뒤에 오는 행동이 일어나는 동안에 그대로 지속됨을 나타
　　 내는 연결 어미.
て
前の言葉の表す動作やその結果が、次にくる動作が行われる間にもそのまま持続されるという意を表す「連結
語尾」。

하늘 (めいし) : 땅 위로 펼쳐진 무한히 넓은 공간.
てん【天】。そら【空】
地上に無限に広がる空間。

끝 (めいし) : 공간에서의 마지막 장소.
おわり【終わり】。はて【果て】。さいご【最後】
空間における最後の場所。

까지 : 어떤 범위의 끝임을 나타내는 조사.
まで
ある範囲の終端であることを表す助詞。

날아오르다 (どうし) : 날아서 위로 높이 올라가다.
とびあがる【飛び上がる】。とびたつ【飛び立つ】。おどりあがる【躍り上がる】
飛んで高い所に上がる。

-아 보다 : 앞의 말이 나타내는 행동을 시험 삼아 함을 나타내는 표현.
てみる
前の言葉の表す行動を試しにやるという意を表す表現。

-아요 : (두루높임으로) 어떤 사실을 서술하거나 질문, 명령, 권유함을 나타내는 종결 어미.
ます。です。ますか。ですか。てください。
(略待上称) ある事実を叙述したり質問、命令、勧誘する意を表す「終結語尾」。<かんゆう【勧誘】>

우리 모두 거기+서 행복하+게 살+[아 보]+아요.
살아 봐요

우리 (だいめいし) : 말하는 사람이 자기와 듣는 사람 또는 이를 포함한 여러 사람들을 가리키는 말.
わたくしたち【私達】
話し手が自分と聞き手、またそれを含めた複数の人たちを指す語。

모두 (ふくし) : 빠짐없이 다.
みんな。みな【皆】。すべて
欠如なしに全部。

거기 (だいめいし) : 앞에서 이미 이야기한 곳을 가리키는 말.
そこ。そちら。あそこ。あちら。
前の話で話題になった場所をさす語。

서 : 앞말이 행동이 이루어지고 있는 장소임을 나타내는 조사.
で。にて
前の言葉がその行動が行われている場所であることを表す助詞。

행복하다 (けいようし) : 삶에서 충분한 만족과 기쁨을 느껴 흐뭇하다.
しあわせだ【幸せだ】。こうふくだ【幸福だ】
人生で十分な満足と喜びを感じて嬉しい。<ほうしき【方式】>

-게 : 앞의 말이 뒤에서 가리키는 일의 목적이나 결과, 방식, 정도 등이 됨을 나타내는 연결 어미.
…く。…に。ように。ほど
前の事柄が後の事柄の目的・結果・方法・程度などになるという意を表す「連結語尾」。

살다 (どうし) : 사람이 생활을 하다.
くらす【暮らす】。せいかつする【生活する】
人間が生活をする。

-아 보다 : 앞의 말이 나타내는 행동을 시험 삼아 함을 나타내는 표현.
てみる
前の言葉の表す行動を試しにやるという意を表す表現。

-아요 : (두루높임으로) 어떤 사실을 서술하거나 질문, 명령, 권유함을 나타내는 종결 어미.
ます。です。ますか。ですか。てください。
(略待上称) ある事実を叙述したり質問、命令、勧誘する意を表す「終結語尾」。<かんゆう【勧誘】>

< 후렴(くりかえし【繰り返し】) >

이제+부터+는 지금+부터+는

이제 (めいし) : 지금의 시기.
いま【今】。もう
現在の時期。

부터 : 어떤 일의 시작이나 처음을 나타내는 조사.
から。より
ある出来事の始まりや起点という意を表す助詞。

는 : 어떤 대상이 다른 것과 대조됨을 나타내는 조사.
は
ある対象が他のものと対照されることを表す助詞。

지금 (めいし) : 말을 하고 있는 바로 이때.
いま【今】。ただいま【ただ今】
話をしているこの瞬間。または即時に。

부터 : 어떤 일의 시작이나 처음을 나타내는 조사.
から。より
ある出来事の始まりや起点という意を表す助詞。

는 : 어떤 대상이 다른 것과 대조됨을 나타내는 조사.
は
ある対象が他のものと対照されることを表す助詞。

가슴+이 시키+[는 대로] 살+[아 보]+아요.
살아 봐요

가슴 (めいし) : 마음이나 느낌.
むね【胸】
心や胸のうち。

이 : 어떤 상태나 상황의 대상이나 동작의 주체를 나타내는 조사.
が
ある状態・状況の対象や動作の主体を表す助詞。

시키다 (どうし) : 어떤 일이나 행동을 하게 하다.
させる
ある仕事や行動をするように仕向ける。

-는 대로 : 앞에 오는 말이 뜻하는 현재의 행동이나 상황과 같음을 나타내는 표현.
まま。とおり【通り】
前にくる言葉の表す現在の行動や状況と同じであるという意を表す表現。

살다 (どうし) : 사람이 생활을 하다.
くらす【暮らす】。せいかつする【生活する】
人間が生活をする。

-아 보다 : 앞의 말이 나타내는 행동을 시험 삼아 함을 나타내는 표현.
てみる
前の言葉の表す行動を試しにやるという意を表す表現。

-아요 : (두루높임으로) 어떤 사실을 서술하거나 질문, 명령, 권유함을 나타내는 종결 어미.
ます。です。ますか。ですか。てください。
(略待上称) ある事実を叙述したり質問、命令、勧誘する意を表す「終結語尾」。 <かんゆう【勧誘】>

이제+부터+는 지금+부터+는

이제 (めいし) : 지금의 시기.
いま【今】。もう
現在の時期。

부터 : 어떤 일의 시작이나 처음을 나타내는 조사.
から。より
ある出来事の始まりや起点という意を表す助詞。

는 : 어떤 대상이 다른 것과 대조됨을 나타내는 조사.
は
ある対象が他のものと対照されることを表す助詞。

지금 (めいし) : 말을 하고 있는 바로 이때.
いま【今】。ただいま【ただ今】
話をしているこの瞬間。または即時に。

부터 : 어떤 일의 시작이나 처음을 나타내는 조사.
から。より
ある出来事の始まりや起点という意を表す助詞。

는 : 어떤 대상이 다른 것과 대조됨을 나타내는 조사.
は
ある対象が他のものと対照されることを表す助詞。

가슴+이 느끼+[는 대로] 자유롭+게

가슴 (めいし) : 마음이나 느낌.
むね【胸】
心や胸のうち。

이 : 어떤 상태나 상황의 대상이나 동작의 주체를 나타내는 조사.
가
ある状態・状況の対象や動作の主体を表す助詞。

느끼다 (どうし) : 특정한 대상이나 상황을 어떻다고 생각하거나 인식하다.
かんずる【感ずる】。かんじとる【感じ取る】。おもう【思う】
特定の対象や状況について考えたり認識したりする。

-는 대로 : 앞에 오는 말이 뜻하는 현재의 행동이나 상황과 같음을 나타내는 표현.
まま。とおり【通り】
前にくる言葉の表す現在の行動や状況と同じであるという意を表す表現。

자유롭다 (けいようし) : 무엇에 얽매이거나 구속되지 않고 자기 생각과 의지대로 할 수 있다.
じゆうだ【自由だ】
何かに縛られたり拘束されたりせずに、自分の考えや意志に従って行動できる。

-게 : 앞의 말이 뒤에서 가리키는 일의 목적이나 결과, 방식, 정도 등이 됨을 나타내는 연결 어미.
…く。…に。ように。ほど
前の事柄が後の事柄の目的・結果・方法・程度などになるという意を表す「連結語尾」。<ほうしき【方式】>

아무것+도 [신경 쓰]+[지 말(마)]+(아)요.
신경 쓰지 마요

아무것 (めいし) : 어떤 것의 조금이나 일부분.
なにも【何も】
ある物事の少しか一部分。

도 : 극단적인 경우를 들어 다른 경우는 말할 것도 없음을 나타내는 조사.
も。すら。さえ。まで
極端な場合を例にあげて、他の場合は言うまでもないという意を表す助詞。

신경 쓰다 (かんようく) : 사소한 일까지 세심하게 생각하다.
神経を使う。気を使う。気にする
細かいことまで細心に気を使う。

-지 말다 : 앞의 말이 나타내는 행동을 하지 못하게 함을 나타내는 표현.
ない
前の言葉の表す行動を禁止するという意を表す表現。

-아요 : (두루높임으로) 어떤 사실을 서술하거나 질문, 명령, 권유함을 나타내는 종결 어미.
ます。です。ますか。ですか。てください。
(略待上称) ある事実を叙述したり質問、命令、勧誘する意を表す「終結語尾」。<めいれい【命令】>

< 2 절(せつ【節】) >

아직+까지 해+가 뜨+고 <u>지+[ㄴ 적+은 한 번+도 없]+었+어요</u>.
진 적은 한 번도 없었어요

아직 (ふくし) : 어떤 일이나 상태 또는 어떻게 되기까지 시간이 더 지나야 함을 나타내거나, 어떤 일이나 상태가 끝나지 않고 계속 이어지고 있음을 나타내는 말.
まだ【未だ】
あることや状態になるまでにさらに時間がかかるべきことを表す語。また、あることや状態が終わらずに続くことを表す語。

까지 : 어떤 범위의 끝임을 나타내는 조사.
まで
ある範囲の終端であることを表す助詞。

해 (めいし) : 태양계의 중심에 있으며 온도가 매우 높고 스스로 빛을 내는 항성.
ひ【日】。たいよう【太陽】
太陽系の中心にあって、温度が非常に高くて自ら光を放つ恒星。

가 : 어떤 상태나 상황에 놓인 대상이나 동작의 주체를 나타내는 조사.
が
ある状態や状況に置かれた対象、または動作の主体を表す助詞。

뜨다 (どうし) : 물 위나 공중에 있거나 위쪽으로 솟아오르다.
うかぶ【浮かぶ】。うく【浮く】
水面や空中に存在したり、上方へ上がったりする。

-고 : 두 가지 이상의 대등한 사실을 나열할 때 쓰는 연결 어미.
て
二つ以上の対等な事柄を並べ立てるのに用いる「連結語尾」。

지다 (どうし) : 해나 달이 서쪽으로 넘어가다.
しずむ【沈む】。くれる【暮れる】
太陽や月が東から西へ移動し、地平線・水平線の下に落ちる。

-ㄴ 적 없다 : 앞의 말이 나타내는 동작이 일어나거나 그 상태가 나타난 때가 없음을 나타내는 표현.
ことがない
前の言葉の表す動作が行われることも、そういう状態になることもないという意を表す表現。

은 : 문장 속에서 어떤 대상이 화제임을 나타내는 조사.
は
文章の中である対象が話題であることを表す助詞。

한 (かんけいし) : 하나의.
いち【一】
1の。

번 (めいし) : 일의 횟수를 세는 단위.
かい【回】。ど【度】
物事の回数を数える単位。

도 : 극단적인 경우를 들어 다른 경우는 말할 것도 없음을 나타내는 조사.
も。すら。さえ。まで
極端な場合を例にあげて、他の場合は言うまでもないという意を表す助詞。

-었- : 어떤 사건이 과거에 완료되었거나 그 사건의 결과가 현재까지 지속되는 상황을 나타내는 어미.
た。ている
ある出来事が過去に完了したことや、その出来事の結果が現在まで持続している状況を表す語尾。

-어요 : (두루높임으로) 어떤 사실을 서술하거나 질문, 명령, 권유함을 나타내는 종결 어미.
ます。です。ますか。ですか。てください
(略待上称) ある事実を叙述したり質問、命令、勧誘する意を表す「終結語尾」。<じょじゅつ【叙述】>

이 땅+에 살(사)+는 우리+들+만 어제+도 오늘+도
              사는

이 (かんけいし) : 바로 앞에서 이야기한 대상을 가리킬 때 쓰는 말.
この
今さっき話したばかりの対象を指す語。

땅 (めいし) : 지구에서 물로 된 부분이 아닌 흙이나 돌로 된 부분.
ち【地】。とち【土地】。じめん【地面】。だいち【大地】
地球で水から成っている部分ではなく、土や石から成っている部分。

에 : 앞말이 어떤 장소나 자리임을 나타내는 조사.
に
前の言葉が場所や席であることを表す助詞。

살다 (どうし) : 사람이 생활을 하다.
くらす【暮らす】。せいかつする【生活する】
人間が生活をする。

-는 : 앞의 말이 관형어의 기능을 하게 만들고 사건이나 동작이 현재 일어남을 나타내는 어미.
する。ている
前の言葉に連体修飾語の機能を持たせ、出来事や動作が現在進行中であるという意を表す語尾。

우리 (だいめいし) : 말하는 사람이 자기와 듣는 사람 또는 이를 포함한 여러 사람들을 가리키는 말.
わたくしたち【私達】
話し手が自分と聞き手、またそれを含めた複数の人たちを指す語。

들 : '복수'의 뜻을 더하는 접미사.
たち・ら【達】
「複数」の意を付加する接尾辞。

만 : 다른 것은 제외하고 어느 것을 한정함을 나타내는 조사.
だけ。のみ
他の物事は除き、特定の物事に限定するという意を表す助詞。

어제 (めいし) : 오늘의 하루 전날.
きのう・さくじつ【昨日】
今日より1日前の日。

도 : 둘 이상의 것을 나열함을 나타내는 조사.
も
二つ以上の物事を羅列するのに用いる助詞。

오늘 (めいし) : 지금 지나가고 있는 이날.
きょう【今日】。ほんじつ【本日】
今過ごしているこの日。

도 : 둘 이상의 것을 나열함을 나타내는 조사.
も
二つ以上の物事を羅列するのに用いる助詞。

쉬+ㅁ 없이 돌+고 돌+고 또 돌+아요.
쉼

쉬다 (どうし) : 하던 일이나 활동 등을 잠시 멈추다. 또는 그렇게 하다.
やすむ【休む】
続けてきた仕事や活動などをしばらくせずにいる。また、そうさせる。

-ㅁ : 앞의 말이 명사의 기능을 하게 하는 어미.
すること。であること
前の言葉を名詞化する語尾。

없이 (ふくし) : 어떤 일이나 증상 등이 나타나지 않게.
なく【無く】
ある事や症状などが無い状態で。

돌다 (どうし) : 무엇을 중심으로 원을 그리면서 움직이다.
まわる【回る】
何かを中心に円を描きながら動く。

-고 : 두 가지 이상의 대등한 사실을 나열할 때 쓰는 연결 어미.
て
二つ以上の対等な事柄を並べ立てるのに用いる「連結語尾」。

돌다 (どうし) : 무엇을 중심으로 원을 그리면서 움직이다.
まわる【回る】
何かを中心に円を描きながら動く。

-고 : 두 가지 이상의 대등한 사실을 나열할 때 쓰는 연결 어미.
て
二つ以上の対等な事柄を並べ立てるのに用いる「連結語尾」。

또 (ふくし) : 어떤 일이나 행동이 다시.
また。ふたたび【再び】。もういちど【もう一度】。あらためて【改めて】
ある出来事や行動がもう一度。

돌다 (どうし) : 무엇을 중심으로 원을 그리면서 움직이다.
まわる【回る】
何かを中心に円を描きながら動く。

-아요 : (두루높임으로) 어떤 사실을 서술하거나 질문, 명령, 권유함을 나타내는 종결 어미.
ます。です。ますか。ですか。てください。
(略待上称) ある事実を叙述したり質問、命令、勧誘する意を表す「終結語尾」。<じょじゅつ【叙述】>

배우+[ㄴ 대로] 남+들+이 시키+[는 대로]
배운 대로

배우다 (どうし) : 남의 행동이나 태도를 그대로 따르다.
ならう【倣う】。みならう【見習う】
他人の行動や態度にそのまま従って行う。

-ㄴ 대로 : 앞에 오는 말이 뜻하는 과거의 행동이나 상황과 같음을 나타내는 표현.
まま。とおり【通り】
前にくる言葉の表す過去の行動や状況と同じであるという意を表す表現。

남 (めいし) : 내가 아닌 다른 사람.
ひと【人】。たにん【他人】
自分ではなく、他の人。

들 : '복수'의 뜻을 더하는 접미사.
たち・ら【達】
「複数」の意を付加する接尾辞。

이 : 어떤 상태나 상황의 대상이나 동작의 주체를 나타내는 조사.
が
ある状態・状況の対象や動作の主体を表す助詞。

시키다 (どうし) : 어떤 일이나 행동을 하게 하다.
させる
ある仕事や行動をするように仕向ける。

-는 대로 : 앞에 오는 말이 뜻하는 현재의 행동이나 상황과 같음을 나타내는 표현.
まま。とおり【通り】
前にくる言葉の表す現在の行動や状況と同じであるという意を表す表現。

그렇+게 사람+들 사이+에 숨+어 살아가+[고 있]+죠.

그렇다 (けいようし) : 상태, 모양, 성질 등이 그와 같다.
そのとおりだ
状態、形、性質などがそれと同じである。

-게 : 앞의 말이 뒤에서 가리키는 일의 목적이나 결과, 방식, 정도 등이 됨을 나타내는 연결 어미.
…く。…に。ように。ほど
前の事柄が後の事柄の目的・結果・方法・程度などになるという意を表す「連結語尾」。＜ほうしき【方式】＞

사람 (めいし) : 특별히 정해지지 않은 자기 외의 남을 가리키는 말.
ひと【人】
不特定の、自分以外の人を指す語。

들 : '복수'의 뜻을 더하는 접미사.
たち・ら【達】
「複数」の意を付加する接尾辞。

사이 (めいし) : 한 물체에서 다른 물체까지 또는 한곳에서 다른 곳까지의 거리나 공간.
あいだ・ま【間】。かんかく【間隔】。あいま【合間】
物と物まで、または場所と場所までの距離や空間。

에 : 앞말이 어떤 장소나 자리임을 나타내는 조사.
に
前の言葉が場所や席であることを表す助詞。

숨다 (どうし) : 남이 볼 수 없게 몸을 감추다.
かくれる【隠れる】。もぐる【潜る】。ひそむ【潜む】
身を人目につかないようにする。

-어 : 앞의 말이 뒤의 말보다 먼저 일어났거나 뒤의 말에 대한 방법이나 수단이 됨을 나타내는 연결 어미.
て
前の事柄が後の事柄より先に行われたか、後の事柄の方法や手段になるという意を表す「連結語尾」。

살아가다 (どうし) : 어떤 종류의 삶이나 시대 등을 견디며 생활해 나가다.
いきる【生きる】
ある種類の人生や時代などに耐えながら生活していく。

-고 있다 : 앞의 말이 나타내는 행동이 계속 진행됨을 나타내는 표현.
ている
前の言葉の表す行動が引き続き行われるという意を表す表現。

-죠 : (두루높임으로) 말하는 사람이 자신에 대한 이야기나 자신의 생각을 친근하게 말할 때 쓰는 종결 어
미.
ますよ。ですよ。でしょう
（略待上称）話し手が自分に関する話や自分の考えを親しみをこめて述べるのに用いる「終結語尾」。

그 사이+에 갇히+어 [지지고 볶]+으며 오늘+도 나+는 살아가+[고 있]+네요.
　　　　　　갇혀

그 (かんけいし) : 앞에서 이미 이야기한 대상을 가리킬 때 쓰는 말.
その。あの。れいの【例の】
すでに話した対象をさすときに使う語。

사이 (めいし) : 한 물체에서 다른 물체까지 또는 한곳에서 다른 곳까지의 거리나 공간.
あいだ・ま【間】。かんかく【間隔】。あいま【合間】
物と物まで、または場所と場所までの距離や空間。

에 : 앞말이 어떤 장소나 자리임을 나타내는 조사.
に
前の言葉が場所や席であることを表す助詞。

갇히다 (どうし) : 어떤 공간이나 상황에서 나가지 못하게 되다.
とじこめられる【閉じ込められる】。かんきんされる【監禁される】
ある空間や状況から抜け出せなくなる。

-어 : 앞의 말이 뒤의 말보다 먼저 일어났거나 뒤의 말에 대한 방법이나 수단이 됨을 나타내는 연결 어미.
て
前の事柄が後の事柄より先に行われたか、後の事柄の方法や手段になるという意を表す「連結語尾」。

지지고 볶다 (かんようく) : 온갖 것을 겪으며 함께 살아가다.
焼いたり炒めたりする
あらゆることを一緒に経験して暮らして行く。

-으며 : 두 가지 이상의 동작이나 상태가 함께 일어남을 나타내는 연결 어미.
ながら
二つ以上の動作や状態が共に起こるという意を表す「連結語尾」。

오늘 (めいし) : 지금 지나가고 있는 이날.
きょう【今日】。ほんじつ【本日】
今過ごしているこの日。

도 : 이미 있는 어떤 것에 다른 것을 더하거나 포함함을 나타내는 조사.
も
既存の物事に他の物事を加えたり含ませたりするという意を表す助詞。

나 (だいめいし) : 말하는 사람이 친구나 아랫사람에게 자기를 가리키는 말.
わたし【私】。ぼく【僕】。おれ【俺】。じぶん【自分】
話し手が友人や目下の人に対し、自分をさす語。

는 : 문장 속에서 어떤 대상이 화제임을 나타내는 조사.
は
文の中で、ある対象が話題であることを表す助詞。

살아가다 (どうし) : 어떤 종류의 삶이나 시대 등을 견디며 생활해 나가다.
いきる【生きる】
ある種類の人生や時代などに耐えながら生活していく。

-고 있다 : 앞의 말이 나타내는 행동이 계속 진행됨을 나타내는 표현.
ている
前の言葉の表す行動が引き続き行われるという意を表す表現。

-네요 : (두루높임으로) 말하는 사람이 직접 경험하여 새롭게 알게 된 사실에 대해 감탄함을 나타낼 때 쓰는 표현.
ですね。ますね
(略待上称) 話し手が直接経験して新しく知ったことについて感嘆する意を表すのに用いる表現。

누(구)+가 시키+[는 대로] 살(사)+[는 것]+은 이제 너무 짜증+이 나+(아)요.
　누가　　　　　　　　　　　　사는 것은　　　　　　　　　　　　　　나요

누구 (だいめいし) : 굳이 이름을 밝힐 필요가 없는 사람을 가리키는 말.
だれかれ【誰彼】。だれかさん【誰かさん】
あえて名前を明かす必要のない人をさす語。

가 : 어떤 상태나 상황에 놓인 대상이나 동작의 주체를 나타내는 조사.
が
ある状態や状況に置かれた対象、または動作の主体を表す助詞。

시키다 (どうし) : 어떤 일이나 행동을 하게 하다.
させる
ある仕事や行動をするように仕向ける。

-는 대로 : 앞에 오는 말이 뜻하는 현재의 행동이나 상황과 같음을 나타내는 표현.
まま。とおり【通り】
前にくる言葉の表す現在の行動や状況と同じであるという意を表す表現。

살다 (どうし) : 사람이 생활을 하다.
くらす【暮らす】。せいかつする【生活する】
人間が生活をする。

-는 것 : 명사가 아닌 것을 문장에서 명사처럼 쓰이게 하거나 '이다' 앞에 쓰일 수 있게 할 때 쓰는 표현.
こと。の。もの
名詞でないものを文中で名詞化し、「이다」の前にくるようにするのに用いる表現。

은 : 문장 속에서 어떤 대상이 화제임을 나타내는 조사.
は
文章の中である対象が話題であることを表す助詞。

이제 (ふくし) : 지금의 시기가 되어.
いまや【今や】。もはや【最早】。もう
今では。

너무 (ふくし) : 일정한 정도나 한계를 훨씬 넘어선 상태로.
あまりに
一定の程度や限界をはるかに超えた状態で。

짜증 (めいし) : 마음에 들지 않아서 화를 내거나 싫은 느낌을 겉으로 드러내는 일. 또는 그런 성미.
かんしゃく【癇癪】。いらだち【苛立ち】
気に入らなくて腹を立てたり嫌な気分を表現すること。また、そのような性格。

이 : 어떤 상태나 상황의 대상이나 동작의 주체를 나타내는 조사.
が
ある状態・状況の対象や動作の主体を表す助詞。

나다 (どうし) : 어떤 감정이나 느낌이 생기다.
うまれる【生まれる】。おこる【起こる】
ある感情や感じが生じる。

-아요 : (두루높임으로) 어떤 사실을 서술하거나 질문, 명령, 권유함을 나타내는 종결 어미.
ます。です。ますか。ですか。てください。
(略待上称) ある事実を叙述したり質問、命令、勧誘する意を表す「終結語尾」。 **<じょじゅつ【叙述】>**

바라+고 원하+는 생각+들+을 하늘 너머+로 떠나보내+(어)요.
떠나보내요

바라다 (どうし) : 생각이나 희망대로 어떤 일이 이루어지기를 기대하다.
ねがう【願う】。のぞむ【望む】
考えや希望がかなうことを期待する。

-고 : 두 가지 이상의 대등한 사실을 나열할 때 쓰는 연결 어미.
て
二つ以上の対等な事柄を並べ立てるのに用いる「連結語尾」。

원하다 (どうし) : 무엇을 바라거나 하고자 하다.
ねがう【願う】。のぞむ【望む】。ほしい【欲しい】。ほっする【欲する】
何かを望んだり、しようとする。

-는 : 앞의 말이 관형어의 기능을 하게 만들고 사건이나 동작이 현재 일어남을 나타내는 어미.
する。ている
前の言葉に連体修飾語の機能を持たせ、出来事や動作が現在進行中であるという意を表す語尾。

생각 (めいし) : 사람이 머리를 써서 판단하거나 인식하는 것.
かんがえ【考え】。しこう【思考】
人間が頭を使って判断し、認識する物事。

들 : '복수'의 뜻을 더하는 접미사.
たち・ら【達】
「複数」の意を付加する接尾辞。

을 : 동작이 직접적으로 영향을 미치는 대상을 나타내는 조사.
を
動作が直接的に影響を及ぼす対象を表す助詞。

하늘 (めいし) : 땅 위로 펼쳐진 무한히 넓은 공간.
てん【天】。そら【空】
地上に無限に広がる空間。

너머 (めいし) : 경계나 가로막은 것을 넘어선 건너편.
むこう【向こう】。むこうがわ【向こう側】。ものごし【物越し】
境界や遮っているものを越えた向こう側。

로 : 움직임의 방향을 나타내는 조사.
に。へ
動きの方向を表す助詞。

떠나보내다 (どうし) : 있던 곳을 떠나 다른 곳으로 가게 하다.
おくる【送る】。みおくる【見送る】
現在いるところから他のところに行かせる。

-어요 : (두루높임으로) 어떤 사실을 서술하거나 질문, 명령, 권유함을 나타내는 종결 어미.
ます。です。ますか。ですか。てください
(略待上称) ある事実を叙述したり質問、命令、勧誘する意を表す「終結語尾」。<かんゆう【勧誘】>

우리 모두 거기+서 자유롭+게 살+[아 보]+아요.
살아 봐요

우리 (だいめいし) : 말하는 사람이 자기와 듣는 사람 또는 이를 포함한 여러 사람들을 가리키는 말.
わたくしたち【私達】
話し手が自分と聞き手、またそれを含めた複数の人たちを指す語。

모두 (ふくし) : 빠짐없이 다.
みんな。みな【皆】。すべて
欠如なしに全部。

거기 (だいめいし) : 앞에서 이미 이야기한 곳을 가리키는 말.
そこ。そちら。あそこ。あちら。
前の話で話題になった場所をさす語。

서 : 앞말이 행동이 이루어지고 있는 장소임을 나타내는 조사.
で。にて
前の言葉がその行動が行われている場所であることを表す助詞。

자유롭다 (けいようし) : 무엇에 얽매이거나 구속되지 않고 자기 생각과 의지대로 할 수 있다.
じゆうだ【自由だ】
何かに縛られたり拘束されたりせずに、自分の考えや意志に従って行動できる。

-게 : 앞의 말이 뒤에서 가리키는 일의 목적이나 결과, 방식, 정도 등이 됨을 나타내는 연결 어미.
…く。…に。ように。ほど
前の事柄が後の事柄の目的・結果・方法・程度などになるという意を表す「連結語尾」。<ほうしき【方式】>

살다 (どうし) : 사람이 생활을 하다.
くらす【暮らす】。せいかつする【生活する】
人間が生活をする。

-아 보다 : 앞의 말이 나타내는 행동을 시험 삼아 함을 나타내는 표현.
てみる
前の言葉の表す行動を試しにやるという意を表す表現。

-아요 : (두루높임으로) 어떤 사실을 서술하거나 질문, 명령, 권유함을 나타내는 종결 어미.
ます。です。ますか。ですか。てください。
(略待上称) ある事実を叙述したり質問、命令、勧誘する意を表す「終結語尾」。<かんゆう【勧誘】>

< 후렴(くりかえし【繰り返し】) >

이제+부터+는 지금+부터+는

이제 (めいし) : 지금의 시기.
いま【今】。もう
現在の時期。

부터 : 어떤 일의 시작이나 처음을 나타내는 조사.
から。より
ある出来事の始まりや起点という意を表す助詞。

는 : 어떤 대상이 다른 것과 대조됨을 나타내는 조사.
は
ある対象が他のものと対照されることを表す助詞。

지금 (めいし) : 말을 하고 있는 바로 이때.
いま【今】。ただいま【ただ今】
話をしているこの瞬間。または即時に。

부터 : 어떤 일의 시작이나 처음을 나타내는 조사.
から。より
ある出来事の始まりや起点という意を表す助詞。

는 : 어떤 대상이 다른 것과 대조됨을 나타내는 조사.
は
ある対象が他のものと対照されることを表す助詞。

이제+부터+는 지금+부터+는

이제 (めいし) : 지금의 시기.
いま【今】。もう
現在の時期。

부터 : 어떤 일의 시작이나 처음을 나타내는 조사.
から。より
ある出来事の始まりや起点という意を表す助詞。

는 : 어떤 대상이 다른 것과 대조됨을 나타내는 조사.
は
ある対象が他のものと対照されることを表す助詞。

지금 (めいし) : 말을 하고 있는 바로 이때.
いま【今】。ただいま【ただ今】
話をしているこの瞬間。または即時に。

부터 : 어떤 일의 시작이나 처음을 나타내는 조사.
から。より
ある出来事の始まりや起点という意を表す助詞。

는 : 어떤 대상이 다른 것과 대조됨을 나타내는 조사.
は
ある対象が他のものと対照されることを表す助詞。

가슴+이 시키+[는 대로] 살+[아 보]+아요.
살아 봐요

가슴 (めいし) : 마음이나 느낌.
むね【胸】
心や胸のうち。

이 : 어떤 상태나 상황의 대상이나 동작의 주체를 나타내는 조사.
が
ある状態・状況の対象や動作の主体を表す助詞。

시키다 (どうし) : 어떤 일이나 행동을 하게 하다.
させる
ある仕事や行動をするように仕向ける。

-는 대로 : 앞에 오는 말이 뜻하는 현재의 행동이나 상황과 같음을 나타내는 표현.
まま。とおり【通り】
前にくる言葉の表す現在の行動や状況と同じであるという意を表す表現。

살다 (どうし) : 사람이 생활을 하다.
くらす【暮らす】。せいかつする【生活する】
人間が生活をする。

-아 보다 : 앞의 말이 나타내는 행동을 시험 삼아 함을 나타내는 표현.
てみる
前の言葉の表す行動を試しにやるという意を表す表現。

-아요 : (두루높임으로) 어떤 사실을 서술하거나 질문, 명령, 권유함을 나타내는 종결 어미.
ます。です。ますか。ですか。てください。
(略待上称) ある事実を叙述したり質問、命令、勧誘する意を表す「終結語尾」。**<かんゆう【勧誘】>**

이제+부터+는 지금+부터+는

이제 (めいし) : 지금의 시기.
いま【今】。もう
現在の時期。

부터 : 어떤 일의 시작이나 처음을 나타내는 조사.
から。より
ある出来事の始まりや起点という意を表す助詞。

는 : 어떤 대상이 다른 것과 대조됨을 나타내는 조사.
は
ある対象が他のものと対照されることを表す助詞。

지금 (めいし) : 말을 하고 있는 바로 이때.
いま【今】。ただいま【ただ今】
話をしているこの瞬間。または即時に。

부터 : 어떤 일의 시작이나 처음을 나타내는 조사.
から。より
ある出来事の始まりや起点という意を表す助詞。

는 : 어떤 대상이 다른 것과 대조됨을 나타내는 조사.
は
ある対象が他のものと対照されることを表す助詞。

가슴+이 느끼+[는 대로] 자유롭+게

가슴 (めいし) : 마음이나 느낌.
むね【胸】
心や胸のうち。

이 : 어떤 상태나 상황의 대상이나 동작의 주체를 나타내는 조사.
が
ある状態・状況の対象や動作の主体を表す助詞。

느끼다 (どうし) : 특정한 대상이나 상황을 어떻다고 생각하거나 인식하다.
かんずる【感ずる】。かんじとる【感じ取る】。おもう【思う】
特定の対象や状況について考えたり認識したりする。

-는 대로 : 앞에 오는 말이 뜻하는 현재의 행동이나 상황과 같음을 나타내는 표현.
まま。とおり【通り】
前にくる言葉の表す現在の行動や状況と同じであるという意を表す表現。

자유롭다 (けいようし) : 무엇에 얽매이거나 구속되지 않고 자기 생각과 의지대로 할 수 있다.
じゆうだ【自由だ】
何かに縛られたり拘束されたりせずに、自分の考えや意志に従って行動できる。

-게 : 앞의 말이 뒤에서 가리키는 일의 목적이나 결과, 방식, 정도 등이 됨을 나타내는 연결 어미.
…く。…に。ように。ほど
前の事柄が後の事柄の目的・結果・方法・程度などになるという意を表す「連結語尾」。**<ほうしき【方式】>**

이제+부터+는 지금+부터+는

이제 (めいし) : 지금의 시기.
いま【今】。もう
現在の時期。

부터 : 어떤 일의 시작이나 처음을 나타내는 조사.
から。より
ある出来事の始まりや起点という意を表す助詞。

는 : 어떤 대상이 다른 것과 대조됨을 나타내는 조사.
は
ある対象が他のものと対照されることを表す助詞。

지금 (めいし) : 말을 하고 있는 바로 이때.
いま【今】。ただいま【ただ今】
話をしているこの瞬間。または即時に。

부터 : 어떤 일의 시작이나 처음을 나타내는 조사.
から。より
ある出来事の始まりや起点という意を表す助詞。

는 : 어떤 대상이 다른 것과 대조됨을 나타내는 조사.
は
ある対象が他のものと対照されることを表す助詞。

(우리 모두 거기+서)

우리 (だいめいし) : 말하는 사람이 자기와 듣는 사람 또는 이를 포함한 여러 사람들을 가리키는 말.
わたくしたち【私達】
話し手が自分と聞き手、またそれを含めた複数の人たちを指す語。

모두 (ふくし) : 빠짐없이 다.
みんな。みな【皆】。すべて
欠如なしに全部。

거기 (だいめいし) : 앞에서 이미 이야기한 곳을 가리키는 말.
そこ。そちら。あそこ。あちら。
前の話で話題になった場所をさす語。

서 : 앞말이 행동이 이루어지고 있는 장소임을 나타내는 조사.
で。にて
前の言葉がその行動が行われている場所であることを表す助詞。

가슴+이 시키+[는 대로] 살+[아 보]+아요.
살아 봐요

가슴 (めいし) : 마음이나 느낌.
むね【胸】
心や胸のうち。

이 : 어떤 상태나 상황의 대상이나 동작의 주체를 나타내는 조사.
が
ある状態・状況の対象や動作の主体を表す助詞。

시키다 (どうし) : 어떤 일이나 행동을 하게 하다.
させる
ある仕事や行動をするように仕向ける。

-는 대로 : 앞에 오는 말이 뜻하는 현재의 행동이나 상황과 같음을 나타내는 표현.
まま。とおり【通り】
前にくる言葉の表す現在の行動や状況と同じであるという意を表す表現。

살다 (どうし) : 사람이 생활을 하다.
くらす【暮らす】。せいかつする【生活する】
人間が生活をする。

-아 보다 : 앞의 말이 나타내는 행동을 시험 삼아 함을 나타내는 표현.
てみる
前の言葉の表す行動を試しにやるという意を表す表現。

-아요 : (두루높임으로) 어떤 사실을 서술하거나 질문, 명령, 권유함을 나타내는 종결 어미.
ます。です。ますか。ですか。てください。
(略待上称) ある事実を叙述したり質問、命令、勧誘する意を表す「終結語尾」。<かんゆう【勧誘】>

(자유롭+게 살+아요)

자유롭다 (けいようし) : 무엇에 얽매이거나 구속되지 않고 자기 생각과 의지대로 할 수 있다.
じゆうだ【自由だ】
何かに縛られたり拘束されたりせずに、自分の考えや意志に従って行動できる。

-게 : 앞의 말이 뒤에서 가리키는 일의 목적이나 결과, 방식, 정도 등이 됨을 나타내는 연결 어미.
…く。…に。ように。ほど
前の事柄が後の事柄の目的・結果・方法・程度などになるという意を表す「連結語尾」。<ほうしき【方式】>

살다 (どうし) : 사람이 생활을 하다.
くらす【暮らす】。せいかつする【生活する】
人間が生活をする。

-아요 : (두루높임으로) 어떤 사실을 서술하거나 질문, 명령, 권유함을 나타내는 종결 어미.
ます。です。ますか。ですか。てください。
(略待上称) ある事実を叙述したり質問、命令、勧誘する意を表す「終結語尾」。<かんゆう【勧誘】>

이제+부터+는 지금+부터+는

이제 (めいし) : 지금의 시기.
いま【今】。もう
現在の時期。

부터 : 어떤 일의 시작이나 처음을 나타내는 조사.
から。より
ある出来事の始まりや起点という意を表す助詞。

는 : 어떤 대상이 다른 것과 대조됨을 나타내는 조사.
は
ある対象が他のものと対照されることを表す助詞。

지금 (めいし) : 말을 하고 있는 바로 이때.
いま【今】。ただいま【ただ今】
話をしているこの瞬間。または即時に。

부터 : 어떤 일의 시작이나 처음을 나타내는 조사.
から。より
ある出来事の始まりや起点という意を表す助詞。

는 : 어떤 대상이 다른 것과 대조됨을 나타내는 조사.
は
ある対象が他のものと対照されることを表す助詞。

(우리 모두 거기+서)

우리 (だいめいし) : 말하는 사람이 자기와 듣는 사람 또는 이를 포함한 여러 사람들을 가리키는 말.
わたくしたち【私達】
話し手が自分と聞き手、またそれを含めた複数の人たちを指す語。

모두 (ふくし) : 빠짐없이 다.
みんな。みな【皆】。すべて
欠如なしに全部。

거기 (だいめいし) : 앞에서 이미 이야기한 곳을 가리키는 말.
そこ。そちら。あそこ。あちら。
前の話で話題になった場所をさす語。

서 : 앞말이 행동이 이루어지고 있는 장소임을 나타내는 조사.
で。にて
前の言葉がその行動が行われている場所であることを表す助詞。

가슴+이 느끼+[는 대로] 자유롭+게

가슴 (めいし) : 마음이나 느낌.
むね【胸】
心や胸のうち。

이 : 어떤 상태나 상황의 대상이나 동작의 주체를 나타내는 조사.
が
ある状態・状況の対象や動作の主体を表す助詞。

느끼다 (どうし) : 특정한 대상이나 상황을 어떻다고 생각하거나 인식하다.
かんずる【感ずる】。かんじとる【感じ取る】。おもう【思う】
特定の対象や状況について考えたり認識したりする。

-는 대로 : 앞에 오는 말이 뜻하는 현재의 행동이나 상황과 같음을 나타내는 표현.
まま。とおり【通り】
前にくる言葉の表す現在の行動や状況と同じであるという意を表す表現。

자유롭다 (けいようし) : 무엇에 얽매이거나 구속되지 않고 자기 생각과 의지대로 할 수 있다.
じゆうだ【自由だ】
何かに縛られたり拘束されたりせずに、自分の考えや意志に従って行動できる。

-게 : 앞의 말이 뒤에서 가리키는 일의 목적이나 결과, 방식, 정도 등이 됨을 나타내는 연결 어미.
…く。…に。ように。ほど
前の事柄が後の事柄の目的・結果・方法・程度などになるという意を表す「連結語尾」。<ほうしき【方式】>

(자유롭+게)

자유롭다 (けいようし) : 무엇에 얽매이거나 구속되지 않고 자기 생각과 의지대로 할 수 있다.
じゆうだ【自由だ】
何かに縛られたり拘束されたりせずに、自分の考えや意志に従って行動できる。

-게 : 앞의 말이 뒤에서 가리키는 일의 목적이나 결과, 방식, 정도 등이 됨을 나타내는 연결 어미.
…く。…に。ように。ほど
前の事柄が後の事柄の目的・結果・方法・程度などになるという意を表す「連結語尾」。<ほうしき【方式】>

그런 사람+이+었+어요.

그런 (かんけいし) : 상태, 모양, 성질 등이 그러한.
そんな。そのような。そうした。そういう
状態・模様・性質などがそのようなさま。

사람 (めいし) : 생각할 수 있으며 언어와 도구를 만들어 사용하고 사회를 이루어 사는 존재.
ひと【人】。にんげん【人間】。じんるい【人類】
考える力があり、言語と道具を使い、社会を作って生きる存在。

이다 : 주어가 지시하는 대상의 속성이나 부류를 지정하는 뜻을 나타내는 서술격 조사.
だ。である
主語が指す対象の属性や部類を指定する意を表す叙述格助詞。

-었- : 어떤 사건이 과거에 완료되었거나 그 사건의 결과가 현재까지 지속되는 상황을 나타내는 어미.
た。ている
ある出来事が過去に完了したことや、その出来事の結果が現在まで持続している状況を表す語尾。

-어요 : (두루높임으로) 어떤 사실을 서술하거나 질문, 명령, 권유함을 나타내는 종결 어미.
ます。です。ますか。ですか。てください
(略待上称) ある事実を叙述したり質問、命令、勧誘する意を表す「終結語尾」。<じょじゅつ【叙述】>

그런 인생+이+었+어요.

그런 (かんけいし) : 상태, 모양, 성질 등이 그러한.
そんな。そのような。そうした。そういう
状態・模様・性質などがそのようなさま。

인생 (めいし) : 사람이 세상을 살아가는 일.
じんせい【人生】
人間がこの世に生きていくこと。

이다 : 주어가 지시하는 대상의 속성이나 부류를 지정하는 뜻을 나타내는 서술격 조사.
だ。である
主語が指す対象の属性や部類を指定する意を表す叙述格助詞。

-었- : 어떤 사건이 과거에 완료되었거나 그 사건의 결과가 현재까지 지속되는 상황을 나타내는 어미.
た。ている
ある出来事が過去に完了したことや、その出来事の結果が現在まで持続している状況を表す語尾。

-어요 : (두루높임으로) 어떤 사실을 서술하거나 질문, 명령, 권유함을 나타내는 종결 어미.
ます。です。ますか。ですか。てください
(略待上称) ある事実を叙述したり質問、命令、勧誘する意を表す「終結語尾」。<じょじゅつ【叙述】>

그렇+게 <u>기억하</u>+[여 주]+<u>어요</u>.
기억해 줘요

그렇다 (けいようし) : 상태, 모양, 성질 등이 그와 같다.
そのとおりだ
状態、形、性質などがそれと同じである。

-게 : 앞의 말이 뒤에서 가리키는 일의 목적이나 결과, 방식, 정도 등이 됨을 나타내는 연결 어미.
…く。…に。ように。ほど
前の事柄が後の事柄の目的・結果・方法・程度などになるという意を表す「連結語尾」。<ほうしき【方式】>

기억하다 (どうし) : 이전의 모습, 사실, 지식, 경험 등을 잊지 않거나 다시 생각해 내다.
きおくする【記憶する】。おぼえる【覚える】
以前の姿、事実、知識、経験などを忘れなかったり、再び思い出したりする。

-여 주다 : 남을 위해 앞의 말이 나타내는 행동을 함을 나타내는 표현.
てやる。てあげる。てくれる
他人のために前の言葉の表す行動をするという意を表す表現。

-어요 : (두루높임으로) 어떤 사실을 서술하거나 질문, 명령, 권유함을 나타내는 종결 어미.
ます。です。ますか。ですか。てください
(略待上称) ある事実を叙述したり質問、命令、勧誘する意を表す「終結語尾」。<めいれい【命令】>

< 6 >

독주
(つよいさけ【強い酒】)

[발음(はつおん【発音】)]

< 1 절(せつ【節】) >

누구라도 한 잔 술을 따라 줘요
누구라도 한 잔 수를 따라 줘요
nugurado han jan sureul ttara jwoyo

비우고 싶은 것이 많아서
비우고 시픈 거시 마나서
biugo sipeun geosi manaseo

이 한 잔 마시고 나면 잊을 수 있을까요?
이 한 잔 마시고 나면 이즐 쑤 이쓸까요?
i han jan masigo namyeon ijeul su isseulkkayo?

버리고 싶은 것이 가득해서
버리고 시픈 거시 가드캐서
beorigo sipeun geosi gadeukaeseo

뜨거웠던 가슴, 마지막 온기가 사라지기 전에
뜨거월떤 가슴, 마지막 온기가 사라지기 저네
tteugeowotdeon gaseum, majimak ongiga sarajigi jeone

누구라도 독한 술 한 잔 따라 줘요.
누구라도 도칸 술 한 잔 따라 줘요.
nugurado dokan sul han jan ttara jwoyo.

< 후렴(くりかえし【繰り返し】) >

이제부터 하얀 여백에 가득 찬
이제부터 하얀 여배게 가득 찬
ijebuteo hayan yeobaege gadeuk chan

내가 모르는 나를 지울 거예요
내가 모르는 나를 지울 꺼예요
naega moreuneun nareul jiul geoyeyo

오늘은 꼭 당신이 따라 준
오느른 꼭 당시니 따라 준
oneureun kkok dangsini ttara jun

한 잔의 가득한 독주를 비울 거예요.
한 자네 가드칸 독쭈를 비울 꺼예요.
han jane gadeukan dokjureul biul geoyeyo.

< 2 절(せつ【節】) >

누구라도 술 한 잔 따라 줘요
누구라도 술 한 잔 따라 줘요
nugurado sul han jan ttara jwoyo

추억에 취해 비틀거리기 전에
추어게 취해 비틀거리기 저네
chueoge chwihae biteulgeorigi jeone

이 한 잔 마시고 나면 지울 수 있을까요?
이 한 잔 마시고 나면 지울 쑤 이쓸까요?
i han jan masigo namyeon jiul su isseulkkayo?

그리움에 취해 잠들기 전에
그리우메 취해 잠들기 저네
geuriume chwihae jamdeulgi jeone

아직 어제를 살고 있는 이 꿈속에서 깨지 않도록
아직 어제를 살고 인는 이 꿈쏘게서 깨지 안토록
ajik eojereul salgo inneun i kkumsogeseo kkaeji antorok

누구라도 지독한 술 한 잔 따라 줘요.
누구라도 지도칸 술 한 잔 따라 줘요.
nugurado jidokan sul han jan ttara jwoyo.

< 후렴(くりかえし【繰り返し】) >

이제부터 하얀 여백에 가득 찬
이제부터 하얀 여배게 가득 찬
ijebuteo hayan yeobaege gadeuk chan

내가 모르는 나를 지울 거예요
내가 모르는 나를 지울 꺼예요
naega moreuneun nareul jiul geoyeyo

오늘은 꼭 당신이 따라 준
오느른 꼭 당시니 따라 준
oneureun kkok dangsini ttara jun

한 잔의 가득한 독주를 비울 거예요.
한 자네 가드칸 독쭈를 비울 꺼예요.
han jane gadeukan dokjureul biul geoyeyo.

이제부터 하얀 여백에 가득 찬
이제부터 하얀 여배게 가득 찬
ijebuteo hayan yeobaege gadeuk chan

내가 모르는 나를 지울 거예요
내가 모르는 나를 지울 꺼예요
naega moreuneun nareul jiul geoyeyo

오늘은 꼭 당신이 따라 준
오느른 꼭 당시니 따라 준
oneureun kkok dangsini ttara jun

한 잔의 가득한 독주를 비울 거예요.
한 자네 가드칸 독쭈를 비울 꺼예요.
han jane gadeukan dokjureul biul geoyeyo.

< 1 절(せつ【節】) >

누구+라도 한 잔 술+을 <u>따르(따ㄹ)</u>+[아 주]+<u>어요</u>.
따라 줘요

누구 (だいめいし) : 정해지지 않은 어떤 사람을 가리키는 말.
だれ【誰】。だれか【誰か】。あるひと【ある人】
不特定の人をさす語。

라도 : 그것이 최선은 아니나 여럿 중에서는 그런대로 괜찮음을 나타내는 조사.
でも
それが最善ではないが、選択肢の中ではそれなりに良いという意を表す助詞。

한 (かんけいし) : 하나의.
いち【一】
1の。

잔 (めいし) : 음료나 술 등을 담은 그릇을 기준으로 그 분량을 세는 단위.
はい【杯】
飲み物や酒などを盛る器を基準に、その分量を数える単位。

술 (めいし) : 맥주나 소주 등과 같이 알코올 성분이 들어 있어서 마시면 취하는 음료.
さけ【酒】
ビールや焼酎などのようにアルコール成分が入っていて飲めば酔う飲み物。

을 : 동작이 직접적으로 영향을 미치는 대상을 나타내는 조사.
を
動作が直接的に影響を及ぼす対象を表す助詞。

따르다 (どうし) : 액체가 담긴 물건을 기울여 액체를 밖으로 조금씩 흐르게 하다.
つぐ【注ぐ】。そそぐ【注ぐ】
液体が入っている物を傾けて、液体を外に少しずつ流す。

-아 주다 : 남을 위해 앞의 말이 나타내는 행동을 함을 나타내는 표현.
てやる。てあげる。てくれる
他人のために前の言葉の表す行動をするという意を表す表現。

-어요 : (두루높임으로) 어떤 사실을 서술하거나 질문, 명령, 권유함을 나타내는 종결 어미.
ます。です。ますか。ですか。てください
(略待上称) ある事実を叙述したり質問、命令、勧誘する意を表す「終結語尾」。 **<めいれい【命令】>**

비우+[고 싶]+[은 것]+이 많+아서

비우다 (どうし) : 욕심이나 집착을 버리다.
対訳語無し
欲や執着を捨てる。

-고 싶다 : 앞의 말이 나타내는 행동을 하기를 원함을 나타내는 표현.
たい
前の言葉の表す行動をしたいという意を表す表現。

-은 것 : 명사가 아닌 것을 문장에서 명사처럼 쓰이게 하거나 '이다' 앞에 쓰일 수 있게 할 때 쓰는 표현.
こと。の。もの
名詞でないものを文中で名詞化し、「이다」の前にくるようにするのに用いる表現。

이 : 어떤 상태나 상황의 대상이나 동작의 주체를 나타내는 조사.
が
ある状態・状況の対象や動作の主体を表す助詞。

많다 (けいようし) : 수나 양, 정도 등이 일정한 기준을 넘다.
おおい【多い】。たくさんだ【沢山だ】。かずおおい【数多い】。ゆたかだ【豊かだ】
数や量、程度などが一定の基準を超える。

-아서 : 이유나 근거를 나타내는 연결 어미.
て。から。ので。ため。ゆえ【故】
理由や根拠の意を表す「連結語尾」。

이 한 잔 마시+[고 나]+면 잊+[을 수 있]+을까요?

이 (かんけいし) : 바로 앞에서 이야기한 대상을 가리킬 때 쓰는 말.
この
今さっき話したばかりの対象を指す語。

한 (かんけいし) : 하나의.
いち【一】
1の。

잔 (めいし) : 음료나 술 등을 담은 그릇을 기준으로 그 분량을 세는 단위.
はい【杯】
飲み物や酒などを盛る器を基準に、その分量を数える単位。

마시다 (どうし) : 물 등의 액체를 목구멍으로 넘어가게 하다.
のむ【飲む】。すう【吸う】。くらう【食らう】
水などの液体を喉へ送り込む。

-고 나다 : 앞에 오는 말이 나타내는 행동이 끝났음을 나타내는 표현.
てしまう。…おえる【…終える】
前の言葉の表す行動が終わったという意を表す表現。

-면 : 뒤에 오는 말에 대한 근거나 조건이 됨을 나타내는 연결 어미.
たら。なら。というなら
後にくる事柄に対する根拠や条件になるという意を表す「連結語尾」。

잊다 (どうし) : 어려움이나 고통, 또는 좋지 않은 지난 일을 마음속에 두지 않거나 신경 쓰지 않다.
わすれる【忘れる】
困難や苦痛、または過去のよくないことを根に持ったり気にしたりしない。

-을 수 있다 : 어떤 행동이나 상태가 가능함을 나타내는 표현.
（ら）れる。ことができる
ある行動や状態が可能であることを表す表現。

-을까요 : (두루높임으로) 아직 일어나지 않았거나 모르는 일에 대해서 말하는 사람이 추측하며 질문할 때 쓰는 표현.
でしょうか。ましょうか
(略待上称)まだ起こっていないことや知らないことについて話し手が推測しながら尋ねるのに用いる表現。

버리+[고 싶]+[은 것]+이 <u>가득하+여서</u>
가득해서

버리다 (どうし) : 마음속에 가졌던 생각을 스스로 잊다.
すてる【捨てる・棄てる】
持ち続けてきた思いを自ら忘れる。

-고 싶다 : 앞의 말이 나타내는 행동을 하기를 원함을 나타내는 표현.
たい
前の言葉の表す行動をしたいという意を表す表現。

-은 것 : 명사가 아닌 것을 문장에서 명사처럼 쓰이게 하거나 '이다' 앞에 쓰일 수 있게 할 때 쓰는 표현.
こと。の。もの
名詞でないものを文中で名詞化し、「いだ」の前にくるようにするのに用いる表現。

이 : 어떤 상태나 상황의 대상이나 동작의 주체를 나타내는 조사.
が
ある状態・状況の対象や動作の主体を表す助詞。

가득하다 (けいようし) : 어떤 감정이나 생각이 강하다.
いっぱいだ【一杯だ】
ある感情や思いなどが強い。

-여서 : 이유나 근거를 나타내는 연결 어미.
て。から。ので。ため。ゆえ【故】
理由や根拠の意を表す「連結語尾」。

뜨겁(뜨거우)+었던 가슴, 마지막 온기+가 사라지+[기 전에]
뜨거웠던

뜨겁다 (けいようし) : (비유적으로) 감정이나 열정 등이 격렬하고 강하다.
あつい【熱い・篤い】。はげしい【激しい】
（比喩的に）感情や熱情などが激しくて強い。

-었던 : 과거의 사건이나 상태를 다시 떠올리거나 그 사건이나 상태가 완료되지 않고 중단되었다는 의미
　　　를 나타내는 표현.
た。ていた
過去の出来事や状態を回想したり、その出来事や状態が完了されずに中断したという意を表す表現。

가슴 (めいし) : 마음이나 느낌.
むね【胸】
心や胸のうち。

마지막 (めいし) : 시간이나 순서의 맨 끝.
さいご【最後】
時間や順序のいちばんあと。

온기 (めいし) : (비유적으로) 다정하거나 따뜻하게 베푸는 분위기나 마음.
ぬくもり【温もり】
(比喩的に)優しくて温かい雰囲気や心。

가 : 어떤 상태나 상황에 놓인 대상이나 동작의 주체를 나타내는 조사.
が
ある状態や状況に置かれた対象、または動作の主体を表す助詞。

사라지다 (どうし) : 생각이나 감정 등이 없어지다.
きえる【消える】。はれる【晴れる】
考えや感情などがなくなる。

-기 전에 : 뒤에 오는 말이 나타내는 행동이 앞에 오는 말이 나타내는 행동보다 앞서는 것을 나타내는 표현.

まえに【前に】

後に述べる行動が前に述べる行動より先であるという意を表す表現。

누구+라도 독하+ㄴ 술 한 잔 따르(따르)+[아 주]+어요.
　　　　　 독한　　　　　　　　　　　따라 줘요

누구 (だいめいし) : 정해지지 않은 어떤 사람을 가리키는 말.

だれ【誰】。だれか【誰か】。あるひと【ある人】

不特定の人をさす語。

라도 : 그것이 최선은 아니나 여럿 중에서는 그런대로 괜찮음을 나타내는 조사.

でも

それが最善ではないが、選択肢の中ではそれなりに良いという意を表す助詞。

독하다 (けいようし) : 맛이나 냄새 등이 지나치게 자극적이다.

きつい

味やにおいなどが非常に刺激的だ。

-ㄴ : 앞의 말이 관형어의 기능을 하게 만들고 현재의 상태를 나타내는 어미.

た

前の言葉に連体修飾語の機能を持たせ、現在の状態を表す「語尾」。

술 (めいし) : 맥주나 소주 등과 같이 알코올 성분이 들어 있어서 마시면 취하는 음료.

さけ【酒】

ビールや焼酎などのようにアルコール成分が入っていて飲めば酔う飲み物。

한 (かんけいし) : 하나의.

いち【一】

1の。

잔 (めいし) : 음료나 술 등을 담은 그릇을 기준으로 그 분량을 세는 단위.

はい【杯】

飲み物や酒などを盛る器を基準に、その分量を数える単位。

따르다 (どうし) : 액체가 담긴 물건을 기울여 액체를 밖으로 조금씩 흐르게 하다.

つぐ【注ぐ】。そそぐ【注ぐ】

液体が入っている物を傾けて、液体を外に少しずつ流す。

-아 주다 : 남을 위해 앞의 말이 나타내는 행동을 함을 나타내는 표현.

てやる。てあげる。てくれる

他人のために前の言葉の表す行動をするという意を表す表現。

-어요 : (두루높임으로) 어떤 사실을 서술하거나 질문, 명령, 권유함을 나타내는 종결 어미.
ます。です。ますか。ですか。てください
(略待上称) ある事実を叙述したり質問、命令、勧誘する意を表す「終結語尾」。 <めいれい【命令】>

< 후렴(くりかえし【繰り返し】) >

이제+부터 하얗(하야)+ㄴ 여백+에 가득 차+ㄴ
　　　　　하얀　　　　　　　　　　 찬

이제 (めいし) : 말하고 있는 바로 이때.
いま【今】
言っている瞬間。

부터 : 어떤 일의 시작이나 처음을 나타내는 조사.
から。より
ある出来事の始まりや起点という意を表す助詞。

하얗다 (けいようし) : 눈이나 우유의 빛깔과 같이 밝고 선명하게 희다.
しろい【白い】
雪や牛乳のように、明るくて鮮明に白い。

-ㄴ : 앞의 말이 관형어의 기능을 하게 만들고 현재의 상태를 나타내는 어미.
た
前の言葉に連体修飾語の機能を持たせ、現在の状態を表す「語尾」。

여백 (めいし) : 종이 등에 글씨를 쓰거나 그림을 그리고 남은 빈 자리.
よはく【余白】
紙面などに字や絵などをかく時、何もかかずに白く残した部分。

에 : 앞말이 어떤 장소나 자리임을 나타내는 조사.
に
前の言葉が場所や席であることを表す助詞。

가득 (ふくし) : 어떤 감정이나 생각이 강한 모양.
いっぱい【一杯】。いっぱいに【一杯に】
ある感情や考えが強い様子。

차다 (どうし) : 감정이나 느낌 등이 가득하게 되다.
みちる【満ちる・充ちる】。みなぎる【漲る】
感情や気持ちなどがいっぱいになる。

-ㄴ : 앞의 말이 관형어의 기능을 하게 만들고 사건이나 동작이 완료되어 그 상태가 유지되고 있음을 나타내는 어미.

た。ている

前の言葉に連体修飾語の機能を持たせ、

出来事や動作が完了してその状態が続いているという意を表す語尾。

내+가 모르+는 나+를 지우+[ㄹ 것(거)]+이+에요.
지울 거예요

내 (だいめいし) : '나'에 조사 '가'가 붙을 때의 형태.

わたし【私】。ぼく【僕】。おれ【俺】。じぶん【自分】

一人称代名詞「나」に主格助詞「가」があとにつく場合の形。

가 : 어떤 상태나 상황에 놓인 대상이나 동작의 주체를 나타내는 조사.

が

ある状態や状況に置かれた対象、または動作の主体を表す助詞。

모르다 (どうし) : 사람이나 사물, 사실 등을 알지 못하거나 이해하지 못하다.

しらない【知らない】。わからない【分からない】

人・物・事実などを知らない、または分からない。

-는 : 앞의 말이 관형어의 기능을 하게 만들고 사건이나 동작이 현재 일어남을 나타내는 어미.

する。ている

前の言葉に連体修飾語の機能を持たせ、出来事や動作が現在進行中であるという意を表す語尾。

나 (だいめいし) : 말하는 사람이 친구나 아랫사람에게 자기를 가리키는 말.

わたし【私】。ぼく【僕】。おれ【俺】。じぶん【自分】

話し手が友人や目下の人に対し、自分をさす語。

를 : 동작이 직접적으로 영향을 미치는 대상을 나타내는 조사.

を

動作が直接的に影響を及ぼす対象を表す助詞。

지우다 (どうし) : 생각이나 기억을 없애거나 잊다.

けす【消す】。なくす。わすれる【忘れる】

考えや記憶などをなくしたり忘れる。

-ㄹ 것 : 명사가 아닌 것을 문장에서 명사처럼 쓰이게 하거나 '이다' 앞에 쓰일 수 있게 할 때 쓰는 표현.

こと。の。もの

名詞でないものを文中で名詞化し、「이다」の前にくるようにするのに用いる表現。

이다 : 주어가 지시하는 대상의 속성이나 부류를 지정하는 뜻을 나타내는 서술격 조사.
だ。である
主語が指す対象の属性や部類を指定する意を表す叙述格助詞。

-에요 : (두루높임으로) 어떤 사실을 서술하거나 질문함을 나타내는 종결 어미.
ます。です。ますか。ですか
(略待上称) ある事実を叙述したり質問する意を表す「終結語尾」。<じょじゅつ【叙述】>

오늘+은 꼭 당신+이 <u>따르(따르)+[아 주]+ㄴ</u>
따라 준

오늘 (めいし) : 지금 지나가고 있는 이날.
きょう【今日】。ほんじつ【本日】
今過ごしているこの日。

은 : 문장 속에서 어떤 대상이 화제임을 나타내는 조사.
は
文章の中である対象が話題であることを表す助詞。

꼭 (ふくし) : 어떤 일이 있어도 반드시.
きっちり
何が何でも必ず。

당신 (だいめいし) : (조금 높이는 말로) 듣는 사람을 가리키는 말.
あなた【貴方】
聞き手に対して、その人を軽い敬意をこめていう語。

이 : 어떤 상태나 상황의 대상이나 동작의 주체를 나타내는 조사.
が
ある状態・状況の対象や動作の主体を表す助詞。

따르다 (どうし) : 액체가 담긴 물건을 기울여 액체를 밖으로 조금씩 흐르게 하다.
つぐ【注ぐ】。そそぐ【注ぐ】
液体が入っている物を傾けて、液体を外に少しずつ流す。

-아 주다 : 남을 위해 앞의 말이 나타내는 행동을 함을 나타내는 표현.
てやる。てあげる。てくれる
他人のために前の言葉の表す行動をするという意を表す表現。

-ㄴ : 앞의 말이 관형어의 기능을 하게 만들고 사건이나 동작이 완료되어 그 상태가 유지되고 있음을 나타내는 어미.

た。ている

前の言葉に連体修飾語の機能を持たせ、

出来事や動作が完了してその状態が続いているという意を表す語尾。

한 잔+의 <u>가득하+ㄴ</u> 독주+를 <u>비우+[ㄹ 것(거)]</u>+이+에요.
　　　　　가득한　　　　　　　　　비울 거예요

한 (かんけいし) : 하나의.

いち【一】

1の。

잔 (めいし) : 음료나 술 등을 담은 그릇을 기준으로 그 분량을 세는 단위.

はい【杯】

飲み物や酒などを盛る器を基準に、その分量を数える単位。

의 : 앞의 말이 뒤의 말에 대하여 속성이나 수량을 한정하거나 같은 자격임을 나타내는 조사.

の

前の言葉が後ろの言葉に対し、属性や数量を限定したり同格であることを表したりする助詞。

가득하다 (けいようし) : 양이나 수가 정해진 범위에 꽉 차 있다.

いっぱいだ【一杯だ】

数や量が決められた範囲に溢れんばかりに満ちている。

-ㄴ : 앞의 말이 관형어의 기능을 하게 만들고 현재의 상태를 나타내는 어미.

た

前の言葉に連体修飾語の機能を持たせ、現在の状態を表す「語尾」。

독주 (めいし) : 매우 독한 술.

つよいさけ【強い酒】

アルコール度数の高い酒。

를 : 동작이 직접적으로 영향을 미치는 대상을 나타내는 조사.

を

動作が直接的に影響を及ぼす対象を表す助詞。

비우다 (どうし) : 안에 든 것을 없애 속을 비게 하다.

あける【空ける】

中に入っているものをなくして、空にする。

-ㄹ 것 : 명사가 아닌 것을 문장에서 명사처럼 쓰이게 하거나 '이다' 앞에 쓰일 수 있게 할 때 쓰는 표현.
こと。の。もの
名詞でないものを文中で名詞化し、「이다」の前にくるようにするのに用いる表現。

이다 : 주어가 지시하는 대상의 속성이나 부류를 지정하는 뜻을 나타내는 서술격 조사.
だ。である
主語が指す対象の属性や部類を指定する意を表す叙述格助詞。

-에요 : (두루높임으로) 어떤 사실을 서술하거나 질문함을 나타내는 종결 어미.
ます。です。ますか。ですか
(略待上称) ある事実を叙述したり質問する意を表す「終結語尾」。 <じょじゅつ【叙述】>

< 2 절(せつ【節】) >

누구+라도 술 한 잔 <u>따르(따ㄹ)+[아 주]+어요</u>.
따라 줘요

누구 (だいめいし) : 정해지지 않은 어떤 사람을 가리키는 말.
だれ【誰】。だれか【誰か】。あるひと【ある人】
不特定の人をさす語。

라도 : 그것이 최선은 아니나 여럿 중에서는 그런대로 괜찮음을 나타내는 조사.
でも
それが最善ではないが、選択肢の中ではそれなりに良いという意を表す助詞。

술 (めいし) : 맥주나 소주 등과 같이 알코올 성분이 들어 있어서 마시면 취하는 음료.
さけ【酒】
ビールや焼酎などのようにアルコール成分が入っていて飲めば酔う飲み物。

한 (かんけいし) : 하나의.
いち【一】
1の。

잔 (めいし) : 음료나 술 등을 담은 그릇을 기준으로 그 분량을 세는 단위.
はい【杯】
飲み物や酒などを盛る器を基準に、その分量を数える単位。

따르다 (どうし) : 액체가 담긴 물건을 기울여 액체를 밖으로 조금씩 흐르게 하다.
つぐ【注ぐ】。そそぐ【注ぐ】
液体が入っている物を傾けて、液体を外に少しずつ流す。

-아 주다 : 남을 위해 앞의 말이 나타내는 행동을 함을 나타내는 표현.
てやる。てあげる。てくれる
他人のために前の言葉の表す行動をするという意を表す表現。

-어요 : (두루높임으로) 어떤 사실을 서술하거나 질문, 명령, 권유함을 나타내는 종결 어미.
ます。です。ますか。ですか。てください
(略待上称) ある事実を叙述したり質問、命令、勧誘する意を表す「終結語尾」。<めいれい【命令】>

추억+에 취하+여 비틀거리+[기 전에]
취해

추억 (めいし) : 지나간 일을 생각함. 또는 그런 생각이나 일.
おもいで【思い出】。ついおく【追憶】。ついかい【追懐】
過ぎ去ったことに思いを寄せること。また、その思いや事柄。

에 : 앞말이 어떤 행위나 감정 등의 대상임을 나타내는 조사.
に
前の言葉がある行為や感情などの対象であることを表す助詞。

취하다 (どうし) : 무엇에 매우 깊이 빠져 마음을 빼앗기다.
よう【酔う】。よいしれる【酔い痴れる】。はまる【嵌まる】
何かに夢中になって心を奪われる。

-여 : 앞에 오는 말이 뒤에 오는 말에 대한 원인이나 이유임을 나타내는 연결 어미.
て。たから。たので
前の事柄が後の事柄の原因や理由であるという意を表す「連結語尾」。

비틀거리다 (どうし) : 몸을 가누지 못하고 계속 이리저리 쓰러질 듯이 걷다.
よろよろする。ふらふらする。よろめく【蹌踉めく】。ふらつく
足取りがしっかりせず、あちこちに倒れそうに歩く。

-기 전에 : 뒤에 오는 말이 나타내는 행동이 앞에 오는 말이 나타내는 행동보다 앞서는 것을 나타내는 표현.
まえに【前に】
後に述べる行動が前に述べる行動より先であるという意を表す表現。

이 한 잔 마시+[고 나]+면 지우+[ㄹ 수 있]+을까요?
지울 수 있을까요

이 (かんけいし) : 바로 앞에서 이야기한 대상을 가리킬 때 쓰는 말.
この
今さっき話したばかりの対象を指す語。

한 (かんけいし) : 하나의.
いち【一】
1の。

잔 (めいし) : 음료나 술 등을 담은 그릇을 기준으로 그 분량을 세는 단위.
はい【杯】
飲み物や酒などを盛る器を基準に、その分量を数える単位。

마시다 (どうし) : 물 등의 액체를 목구멍으로 넘어가게 하다.
のむ【飲む】。すう【吸う】。くらう【食らう】
水などの液体を喉へ送り込む。

-고 나다 : 앞에 오는 말이 나타내는 행동이 끝났음을 나타내는 표현.
てしまう。…おえる【…終える】
前の言葉の表す行動が終わったという意を表す表現。

-면 : 뒤에 오는 말에 대한 근거나 조건이 됨을 나타내는 연결 어미.
たら。なら。というなら
後にくる事柄に対する根拠や条件になるという意を表す「連結語尾」。

지우다 (どうし) : 생각이나 기억을 없애거나 잊다.
けす【消す】。なくす。わすれる【忘れる】
考えや記憶などをなくしたり忘れる。

-ㄹ 수 있다 : 어떤 행동이나 상태가 가능함을 나타내는 표현.
(ら)れる。ことができる
ある行動や状態が可能であることを表す表現。

-을까요 : (두루높임으로) 아직 일어나지 않았거나 모르는 일에 대해서 말하는 사람이 추측하며 질문할 때
　　　　　 쓰는 표현.
でしょうか。ましょうか
(略待上称)まだ起こっていないことや知らないことについて話し手が推測しながら尋ねるのに用いる表現。

그리움+에 취하+여 잠들+[기 전에]
　　　　　 취해

그리움 (めいし) : 어떤 대상을 몹시 보고 싶어 하는 안타까운 마음.
こいしさ【恋しさ】。なつかしさ【懐かしさ】
誰かに非常に会いたがる切ない気持ち。

에 : 앞말이 어떤 행위나 감정 등의 대상임을 나타내는 조사.
に
前の言葉がある行為や感情などの対象であることを表す助詞。

취하다 (どうし) : 무엇에 매우 깊이 빠져 마음을 빼앗기다.
よう【酔う】。よいしれる【酔い痴れる】。はまる【嵌まる】
何かに夢中になって心を奪われる。

-여 : 앞에 오는 말이 뒤에 오는 말에 대한 원인이나 이유임을 나타내는 연결 어미.
て。たから。たので
前の事柄が後の事柄の原因や理由であるという意を表す「連結語尾」。

잠들다 (どうし) : 잠을 자는 상태가 되다.
ねむる【眠る・睡る】。ねいる【寝入る】
寝る状態になる。

-기 전에 : 뒤에 오는 말이 나타내는 행동이 앞에 오는 말이 나타내는 행동보다 앞서는 것을 나타내는 표
         현.
まえに【前に】
後に述べる行動が前に述べる行動より先であるという意を表す表現。

아직 어제+를 살+[고 있]+는 이 꿈속+에서 깨+[지 않]+도록

아직 (ふくし) : 어떤 일이나 상태 또는 어떻게 되기까지 시간이 더 지나야 함을 나타내거나, 어떤 일이나
         상태가 끝나지 않고 계속 이어지고 있음을 나타내는 말.
まだ【未だ】
あることや状態になるまでにさらに時間がかかるべきことを表す語。また、あることや状態が終わらずに続く
ことを表す語。

어제 (めいし) : 지나간 때.
きのう【昨日】。かこ【過去】
過ぎ去った時。

를 : 동작이 직접적으로 영향을 미치는 대상을 나타내는 조사.
を
動作が直接的に影響を及ぼす対象を表す助詞。

살다 (どうし) : 사람이 생활을 하다.
くらす【暮らす】。せいかつする【生活する】
人間が生活をする。

-고 있다 : 앞의 말이 나타내는 행동이 계속 진행됨을 나타내는 표현.
ている
前の言葉の表す行動が引き続き行われるという意を表す表現。

-는 : 앞의 말이 관형어의 기능을 하게 만들고 사건이나 동작이 현재 일어남을 나타내는 어미.
する。ている
前の言葉に連体修飾語の機能を持たせ、出来事や動作が現在進行中であるという意を表す語尾。

이 (かんけいし) : 말하는 사람에게 가까이 있거나 말하는 사람이 생각하고 있는 대상을 가리킬 때 쓰는 말.
この
話し手の近くにあるか、話し手が考えている対象を指す語。

꿈속 (めいし) : 현실과 동떨어진 환상 속.
対訳語無し
現実とかけ離れた幻想の中。

에서 : 앞말이 행동이 이루어지고 있는 장소임을 나타내는 조사.
で
前の言葉が行動の行われる場所であることを表す助詞。

깨다 (どうし) : 잠이 든 상태에서 벗어나 정신을 차리다. 또는 그렇게 하다.
さめる【覚める】。めざめる【目覚める】
眠っている状態などから、意識のはっきりした状態に戻る。また、そうさせる。

-지 않다 : 앞의 말이 나타내는 행위나 상태를 부정하는 뜻을 나타내는 표현.
ない。くない。ではない
前の言葉の表す行為や状態を否定する意を表す表現。

-도록 : 앞에 오는 말이 뒤에 오는 말에 대한 목적이나 결과, 방식, 정도임을 나타내는 연결 어미.
ように
前の事柄が後の事柄の目的・結果・方法・程度などになるという意を表す「連結語尾」。<もくてき【目的】>

누구+라도 지독하+ㄴ 술 한 잔 따르(따르)+[아 주]+어요.
　　　　　　 지독한　　　　　　　 따라 줘요

누구 (だいめいし) : 정해지지 않은 어떤 사람을 가리키는 말.
だれ【誰】。だれか【誰か】。あるひと【ある人】
不特定の人をさす語。

라도 : 그것이 최선은 아니나 여럿 중에서는 그런대로 괜찮음을 나타내는 조사.
でも
それが最善ではないが、選択肢の中ではそれなりに良いという意を表す助詞。

지독하다 (けいようし) : 맛이나 냄새 등이 해롭거나 참기 어려울 정도로 심하다.
とてもひどい。とてもくさい。とてもまずい
味・においなどが、健康に悪いか耐えられないほど最悪である。

-ㄴ : 앞의 말이 관형어의 기능을 하게 만들고 현재의 상태를 나타내는 어미.
た
前の言葉に連体修飾語の機能を持たせ、現在の状態を表す「語尾」。

술 (めいし) : 맥주나 소주 등과 같이 알코올 성분이 들어 있어서 마시면 취하는 음료.
さけ【酒】
ビールや焼酎などのようにアルコール成分が入っていて飲めば酔う飲み物。

한 (かんけいし) : 하나의.
いち【一】
1の。

잔 (めいし) : 음료나 술 등을 담은 그릇을 기준으로 그 분량을 세는 단위.
はい【杯】
飲み物や酒などを盛る器を基準に、その分量を数える単位。

따르다 (どうし) : 액체가 담긴 물건을 기울여 액체를 밖으로 조금씩 흐르게 하다.
つぐ【注ぐ】。そそぐ【注ぐ】
液体が入っている物を傾けて、液体を外に少しずつ流す。

-아 주다 : 남을 위해 앞의 말이 나타내는 행동을 함을 나타내는 표현.
てやる。てあげる。てくれる
他人のために前の言葉の表す行動をするという意を表す表現。

-어요 : (두루높임으로) 어떤 사실을 서술하거나 질문, 명령, 권유함을 나타내는 종결 어미.
ます。です。ますか。ですか。てください
(略待上称) ある事実を叙述したり質問、命令、勧誘する意を表す「終結語尾」。<めいれい【命令】>

< 후렴(くりかえし【繰り返し】) >

이제+부터 하얗(하야)+ㄴ 여백+에 가득 차+ㄴ
　　　　　　　하얀　　　　　　　　　찬

이제 (めいし) : 말하고 있는 바로 이때.
いま【今】
言っている瞬間。

부터 : 어떤 일의 시작이나 처음을 나타내는 조사.
から。より
ある出来事の始まりや起点という意を表す助詞。

하얗다 (けいようし) : 눈이나 우유의 빛깔과 같이 밝고 선명하게 희다.
しろい【白い】
雪や牛乳のように、明るくて鮮明に白い。

-ㄴ : 앞의 말이 관형어의 기능을 하게 만들고 현재의 상태를 나타내는 어미.
た
前の言葉に連体修飾語の機能を持たせ、現在の状態を表す「語尾」。

여백 (めいし) : 종이 등에 글씨를 쓰거나 그림을 그리고 남은 빈 자리.
よはく【余白】
紙面などに字や絵などをかく時、何もかかずに白く残した部分。

에 : 앞말이 어떤 장소나 자리임을 나타내는 조사.
に
前の言葉が場所や席であることを表す助詞。

가득 (ふくし) : 어떤 감정이나 생각이 강한 모양.
いっぱい【一杯】。いっぱいに【一杯に】
ある感情や考えが強い様子。

차다 (どうし) : 감정이나 느낌 등이 가득하게 되다.
みちる【満ちる・充ちる】。みなぎる【漲る】
感情や気持ちなどがいっぱいになる。

-ㄴ : 앞의 말이 관형어의 기능을 하게 만들고 사건이나 동작이 완료되어 그 상태가 유지되고 있음을 나
　　타내는 어미.
た。ている
前の言葉に連体修飾語の機能を持たせ、
出来事や動作が完了してその状態が続いているという意を表す語尾。

내+가 모르+는 나+를 지우+[ㄹ 것(거)]+이+에요.
지울 거예요

내 (だいめいし) : '나'에 조사 '가'가 붙을 때의 형태.
わたし【私】。ぼく【僕】。おれ【俺】。じぶん【自分】
一人称代名詞「나」に主格助詞「가」があとにつく場合の形。

가 : 어떤 상태나 상황에 놓인 대상이나 동작의 주체를 나타내는 조사.
が
ある状態や状況に置かれた対象、または動作の主体を表す助詞。

모르다 (どうし) : 사람이나 사물, 사실 등을 알지 못하거나 이해하지 못하다.
しらない【知らない】。わからない【分からない】
人・物・事実などを知らない、または分からない。

-는 : 앞의 말이 관형어의 기능을 하게 만들고 사건이나 동작이 현재 일어남을 나타내는 어미.
する。ている
前の言葉に連体修飾語の機能を持たせ、出来事や動作が現在進行中であるという意を表す語尾。

나 (だいめいし) : 말하는 사람이 친구나 아랫사람에게 자기를 가리키는 말.
わたし【私】。ぼく【僕】。おれ【俺】。じぶん【自分】
話し手が友人や目下の人に対し、自分をさす語。

를 : 동작이 직접적으로 영향을 미치는 대상을 나타내는 조사.
を
動作が直接的に影響を及ぼす対象を表す助詞。

지우다 (どうし) : 생각이나 기억을 없애거나 잊다.
けす【消す】。なくす。わすれる【忘れる】
考えや記憶などをなくしたり忘れる。

-ㄹ 것 : 명사가 아닌 것을 문장에서 명사처럼 쓰이게 하거나 '이다' 앞에 쓰일 수 있게 할 때 쓰는 표현.
こと。の。もの
名詞でないものを文中で名詞化し、「이다」の前にくるようにするのに用いる表現。

이다 : 주어가 지시하는 대상의 속성이나 부류를 지정하는 뜻을 나타내는 서술격 조사.
だ。である
主語が指す対象の属性や部類を指定する意を表す叙述格助詞。

-에요 : (두루높임으로) 어떤 사실을 서술하거나 질문함을 나타내는 종결 어미.
ます。です。ますか。ですか
(略待上称) ある事実を叙述したり質問する意を表す「終結語尾」。<じょじゅつ【叙述】>

오늘+은 꼭 당신+이 따르(따르)+[아 주]+ㄴ
따라 준

오늘 (めいし) : 지금 지나가고 있는 이날.
きょう【今日】。ほんじつ【本日】
今過ごしているこの日。

은 : 문장 속에서 어떤 대상이 화제임을 나타내는 조사.
は
文章の中である対象が話題であることを表す助詞。

꼭 (ふくし) : 어떤 일이 있어도 반드시.
きっちり
何が何でも必ず。

당신 (だいめいし) : (조금 높이는 말로) 듣는 사람을 가리키는 말.
あなた【貴方】
聞き手に対して、その人を軽い敬意をこめていう語。

이 : 어떤 상태나 상황의 대상이나 동작의 주체를 나타내는 조사.
が
ある状態・状況の対象や動作の主体を表す助詞。

따르다 (どうし) : 액체가 담긴 물건을 기울여 액체를 밖으로 조금씩 흐르게 하다.
つぐ【注ぐ】。そそぐ【注ぐ】
液体が入っている物を傾けて、液体を外に少しずつ流す。

-아 주다 : 남을 위해 앞의 말이 나타내는 행동을 함을 나타내는 표현.
てやる。てあげる。てくれる
他人のために前の言葉の表す行動をするという意を表す表現。

-ㄴ : 앞의 말이 관형어의 기능을 하게 만들고 사건이나 동작이 완료되어 그 상태가 유지되고 있음을 나
타내는 어미.
た。ている
前の言葉に連体修飾語の機能を持たせ、
出来事や動作が完了してその状態が続いているという意を表す語尾。

한 잔+의 가득하+ㄴ 독주+를 비우+[ㄹ 것(거)]+이+에요.
　　　　가득한　　　　　　　비울 거예요

한 (かんけいし) : 하나의.
いち【一】
1の。

잔 (めいし) : 음료나 술 등을 담은 그릇을 기준으로 그 분량을 세는 단위.
はい【杯】
飲み物や酒などを盛る器を基準に、その分量を数える単位。

의 : 앞의 말이 뒤의 말에 대하여 속성이나 수량을 한정하거나 같은 자격임을 나타내는 조사.
の
前の言葉が後ろの言葉に対し、属性や数量を限定したり同格であることを表したりする助詞。

가득하다 (けいようし) : 양이나 수가 정해진 범위에 꽉 차 있다.
いっぱいだ【一杯だ】
数や量が決められた範囲に溢れんばかりに満ちている。

-ㄴ : 앞의 말이 관형어의 기능을 하게 만들고 현재의 상태를 나타내는 어미.
た
前の言葉に連体修飾語の機能を持たせ、現在の状態を表す「語尾」。

독주 (めいし) : 매우 독한 술.
つよいさけ【強い酒】
アルコール度数の高い酒。

를 : 동작이 직접적으로 영향을 미치는 대상을 나타내는 조사.
を
動作が直接的に影響を及ぼす対象を表す助詞。

비우다 (どうし) : 안에 든 것을 없애 속을 비게 하다.
あける【空ける】
中に入っているものをなくして、空にする。

-ㄹ 것 : 명사가 아닌 것을 문장에서 명사처럼 쓰이게 하거나 '이다' 앞에 쓰일 수 있게 할 때 쓰는 표현.
こと。の。もの
名詞でないものを文中で名詞化し、「이다」の前にくるようにするのに用いる表現。

이다 : 주어가 지시하는 대상의 속성이나 부류를 지정하는 뜻을 나타내는 서술격 조사.
だ。である
主語が指す対象の属性や部類を指定する意を表す叙述格助詞。

-에요 : (두루높임으로) 어떤 사실을 서술하거나 질문함을 나타내는 종결 어미.
ます。です。ますか。ですか
(略待上称) ある事実を叙述したり質問する意を表す「終結語尾」。<じょじゅつ【叙述】>

이제+부터 <u>하얗(하야)</u>+ㄴ 여백+에 가득 <u>차</u>+ㄴ
　　　　　　　하얀　　　　　　　　　　　　　찬

이제 (めいし) : 말하고 있는 바로 이때.
いま【今】
言っている瞬間。

부터 : 어떤 일의 시작이나 처음을 나타내는 조사.
から。より
ある出来事の始まりや起点という意を表す助詞。

하얗다 (けいようし) : 눈이나 우유의 빛깔과 같이 밝고 선명하게 희다.
しろい【白い】
雪や牛乳のように、明るくて鮮明に白い。

-ㄴ : 앞의 말이 관형어의 기능을 하게 만들고 현재의 상태를 나타내는 어미.
た
前の言葉に連体修飾語の機能を持たせ、現在の状態を表す「語尾」。

여백 (めいし) : 종이 등에 글씨를 쓰거나 그림을 그리고 남은 빈 자리.
よはく【余白】
紙面などに字や絵などをかく時、何もかかずに白く残した部分。

에 : 앞말이 어떤 장소나 자리임을 나타내는 조사.
に
前の言葉が場所や席であることを表す助詞。

가득 (ふくし) : 어떤 감정이나 생각이 강한 모양.
いっぱい【一杯】。いっぱいに【一杯に】
ある感情や考えが強い様子。

차다 (どうし) : 감정이나 느낌 등이 가득하게 되다.
みちる【満ちる・充ちる】。みなぎる【漲る】
感情や気持ちなどがいっぱいになる。

-ㄴ : 앞의 말이 관형어의 기능을 하게 만들고 사건이나 동작이 완료되어 그 상태가 유지되고 있음을 나
   타내는 어미.
た。ている
前の言葉に連体修飾語の機能を持たせ、
出来事や動作が完了してその状態が続いているという意を表す語尾。

내+가 모르+는 나+를 지우+[ㄹ 것(거)]+이+에요.
지울 거예요

내 (だいめいし) : '나'에 조사 '가'가 붙을 때의 형태.
わたし【私】。ぼく【僕】。おれ【俺】。じぶん【自分】
一人称代名詞「나」に主格助詞「가」があとにつく場合の形。

가 : 어떤 상태나 상황에 놓인 대상이나 동작의 주체를 나타내는 조사.
が
ある状態や状況に置かれた対象、または動作の主体を表す助詞。

모르다 (どうし) : 사람이나 사물, 사실 등을 알지 못하거나 이해하지 못하다.
しらない【知らない】。わからない【分からない】
人・物・事実などを知らない、または分からない。

-는 : 앞의 말이 관형어의 기능을 하게 만들고 사건이나 동작이 현재 일어남을 나타내는 어미.
する。ている
前の言葉に連体修飾語の機能を持たせ、出来事や動作が現在進行中であるという意を表す語尾。

나 (だいめいし) : 말하는 사람이 친구나 아랫사람에게 자기를 가리키는 말.
わたし【私】。ぼく【僕】。おれ【俺】。じぶん【自分】
話し手が友人や目下の人に対し、自分をさす語。

를 : 동작이 직접적으로 영향을 미치는 대상을 나타내는 조사.
を
動作が直接的に影響を及ぼす対象を表す助詞。

지우다 (どうし) : 생각이나 기억을 없애거나 잊다.
けす【消す】。なくす。わすれる【忘れる】
考えや記憶などをなくしたり忘れる。

-ㄹ 것 : 명사가 아닌 것을 문장에서 명사처럼 쓰이게 하거나 '이다' 앞에 쓰일 수 있게 할 때 쓰는 표현.
こと。の。もの
名詞でないものを文中で名詞化し、「이다」の前にくるようにするのに用いる表現。

이다 : 주어가 지시하는 대상의 속성이나 부류를 지정하는 뜻을 나타내는 서술격 조사.
だ。である
主語が指す対象の属性や部類を指定する意を表す叙述格助詞。

-에요 : (두루높임으로) 어떤 사실을 서술하거나 질문함을 나타내는 종결 어미.
ます。です。ますか。ですか
(略待上称) ある事実を叙述したり質問する意を表す「終結語尾」。<じょじゅつ【叙述】>

오늘+은 꼭 당신+이 따르(따르)+[아 주]+ㄴ
따라 준

오늘 (めいし) : 지금 지나가고 있는 이날.
きょう【今日】。ほんじつ【本日】
今過ごしているこの日。

은 : 문장 속에서 어떤 대상이 화제임을 나타내는 조사.
は
文章の中である対象が話題であることを表す助詞。

꼭 (ふくし) : 어떤 일이 있어도 반드시.
きっちり
何が何でも必ず。

당신 (だいめいし) : (조금 높이는 말로) 듣는 사람을 가리키는 말.
あなた【貴方】
聞き手に対して、その人を軽い敬意をこめていう語。

이 : 어떤 상태나 상황의 대상이나 동작의 주체를 나타내는 조사.
が
ある状態・状況の対象や動作の主体を表す助詞。

따르다 (どうし) : 액체가 담긴 물건을 기울여 액체를 밖으로 조금씩 흐르게 하다.
つぐ【注ぐ】。そそぐ【注ぐ】
液体が入っている物を傾けて、液体を外に少しずつ流す。

-아 주다 : 남을 위해 앞의 말이 나타내는 행동을 함을 나타내는 표현.
てやる。てあげる。てくれる
他人のために前の言葉の表す行動をするという意を表す表現。

-ㄴ : 앞의 말이 관형어의 기능을 하게 만들고 사건이나 동작이 완료되어 그 상태가 유지되고 있음을 나타내는 어미.
た。ている
前の言葉に連体修飾語の機能を持たせ、
出来事や動作が完了してその状態が続いているという意を表す語尾。

한 잔+의 가득하+ㄴ 독주+를 비우+[ㄹ 것(거)]+이+에요.
　　　　　가득한　　　　　　　　　비울 거예요

한 (かんけいし) : 하나의.
いち【一】
1の。

잔 (めいし) : 음료나 술 등을 담은 그릇을 기준으로 그 분량을 세는 단위.
はい【杯】
飲み物や酒などを盛る器を基準に、その分量を数える単位。

의 : 앞의 말이 뒤의 말에 대하여 속성이나 수량을 한정하거나 같은 자격임을 나타내는 조사.
の
前の言葉が後ろの言葉に対し、属性や数量を限定したり同格であることを表したりする助詞。

가득하다 (けいようし) : 양이나 수가 정해진 범위에 꽉 차 있다.
いっぱいだ【一杯だ】
数や量が決められた範囲に溢れんばかりに満ちている。

-ㄴ : 앞의 말이 관형어의 기능을 하게 만들고 현재의 상태를 나타내는 어미.
た
前の言葉に連体修飾語の機能を持たせ、現在の状態を表す「語尾」。

독주 (めいし) : 매우 독한 술.
つよいさけ【強い酒】
アルコール度数の高い酒。

를 : 동작이 직접적으로 영향을 미치는 대상을 나타내는 조사.
を
動作が直接的に影響を及ぼす対象を表す助詞。

비우다 (どうし) : 안에 든 것을 없애 속을 비게 하다.
あける【空ける】
中に入っているものをなくして、空にする。

-ㄹ 것 : 명사가 아닌 것을 문장에서 명사처럼 쓰이게 하거나 '이다' 앞에 쓰일 수 있게 할 때 쓰는 표현.
こと。の。もの
名詞でないものを文中で名詞化し、「이다」の前にくるようにするのに用いる表現。

이다 : 주어가 지시하는 대상의 속성이나 부류를 지정하는 뜻을 나타내는 서술격 조사.
だ。である
主語が指す対象の属性や部類を指定する意を表す叙述格助詞。

-에요 : (두루높임으로) 어떤 사실을 서술하거나 질문함을 나타내는 종결 어미.
ます。です。ますか。ですか
(略待上称) ある事実を叙述したり質問する意を表す「終結語尾」。<じょじゅつ【叙述】>

< 7 >

애창곡
(あいしょうか【愛唱歌】)

[발음(はつおん【発音】)]

< 1 절(せつ【節】) >

내가 부르는 이 노래
내가 부르는 이 노래
naega bureuneun i norae

너에게 아직 다 못다 한 말
너에게 아직 다 몯따 한 말
neoege ajik da motda han mal

이 곡조엔 우리만 아는 속삭임
이 곡쪼엔 우리만 아는 속싸김
i gokjoen uriman aneun soksagim

내가 부르는 이 노래
내가 부르는 이 노래
naega bureuneun i norae

너에게 꼭 하고 싶은 말
너에게 꼭 하고 시픈 말
neoege kkok hago sipeun mal

이 선율엔 우리만 아는 귓속말
이 서뉴렌 우리만 아는 귇쏭말
i seonyuren uriman aneun gwitsongmal

아무리 화가 나도 삐져 있어도
아무리 화가 나도 삐저 이써도
amuri hwaga nado ppijeo isseodo

이 가락에 취해
이 가라게 취해
i garage chwihae

우린 서로 남몰래 눈을 맞춰요.
우린 서로 남몰래 누늘 맏춰요.
urin seoro nammollae nuneul matchwoyo.

내가 즐겨 부르는 이 노래
내가 즐겨 부르는 이 노래
naega jeulgyeo bureuneun i norae

이 음악이 흐르면
이 으마기 흐르면
i eumagi heureumyeon

너의 눈빛, 너의 표정
너에 눈삗, 너에 표정
neoe nunbit, neoe pyojeong

내 가슴이 살살 녹아요.
내 가스미 살살 노가요.
nae gaseumi salsal nogayo.

< 2 절(せつ【節】) >

내가 부르는 이 노래
내가 부르는 이 노래
naega bureuneun i norae

너에게만 들려줬던 말
너에게만 들려줠떤 말
neoegeman deullyeojwotdeon mal

이 곡조엔 둘이만 아는 짜릿함
이 곡쪼엔 두리만 아는 짜리탐
i gokjoen duriman aneun jjaritam

내가 부르는 이 노래
내가 부르는 이 노래
naega bureuneun i norae

너에게만 속삭였던 말
너에게만 속싸곀떤 말
neoegeman soksagyeotdeon mal

이 선율엔 둘이만 아는 아찔함
이 서뉴렌 두리만 아는 아찔함
i seonyuren duriman aneun ajjilham

아무리 토라져도 삐져 있어도
아무리 토라저도 삐저 이써도
amuri torajeodo ppijeo isseodo

이 노랫말에 잠겨
이 노랜마레 잠겨
i noraenmare jamgyeo

우린 서로 남몰래 눈을 맞춰요.
우린 서로 남몰래 누늘 맏춰요.
urin seoro nammollae nuneul matchwoyo.

내가 즐겨 부르는 이 노래
내가 즐겨 부르는 이 노래
naega jeulgyeo bureuneun i norae

이 음악이 흐르면
이 으마기 흐르면
i eumagi heureumyeon

너의 눈빛, 너의 표정
너에 눈삩, 너에 표정
neoe nunbit, neoe pyojeong

내 가슴이 살살 녹아요.
내 가스미 살살 노가요.
nae gaseumi salsal nogayo.

< 3 절(せつ【節】) >

우리 둘이 부르는 이 노래
우리 두리 부르는 이 노래
uri duri bureuneun i norae

우리 둘만 아는 이 노래
우리 둘만 아는 이 노래
uri dulman aneun i norae

우리 둘이 영원히 함께 불러요
우리 두리 영원히 함께 불러요
uri duri yeongwonhi hamkke bulleoyo

이 음표에 우리 사랑 싣고
이 음표에 우리 사랑 싣꼬
i eumpyoe uri sarang sitgo

높고 낮게 길고 짧은 리듬
놉꼬 낟께 길고 짤븐 리듬
nopgo natge gilgo jjalbeun rideum

이 가락에 밤새도록 취해 봐요.
이 가라게 밤새도록 취해 봐요.
i garage bamsaedorok chwihae bwayo.

< 1 절(せつ【節】) >

내+가 부르+는 이 노래

내 (だいめいし) : '나'에 조사 '가'가 붙을 때의 형태.
わたし【私】。ぼく【僕】。おれ【俺】。じぶん【自分】
一人称代名詞「나」に主格助詞「가」があとにつく場合の形。

가 : 어떤 상태나 상황에 놓인 대상이나 동작의 주체를 나타내는 조사.
が
ある状態や状況に置かれた対象、または動作の主体を表す助詞。

부르다 (どうし) : 곡조에 따라 노래하다.
うたう【歌う】
曲に合わせて歌を歌う。

-는 : 앞의 말이 관형어의 기능을 하게 만들고 사건이나 동작이 현재 일어남을 나타내는 어미.
する。ている
前の言葉に連体修飾語の機能を持たせ、出来事や動作が現在進行中であるという意を表す語尾。

이 (かんけいし) : 말하는 사람에게 가까이 있거나 말하는 사람이 생각하고 있는 대상을 가리킬 때 쓰는 말.
この
話し手の近くにあるか、話し手が考えている対象を指す語。

노래 (めいし) : 운율에 맞게 지은 가사에 곡을 붙인 음악. 또는 그런 음악을 소리 내어 부름.
うた【歌・唄】。かきょく【歌曲】
韻律に合わせて作った歌詞に曲をつけた音楽。また、音楽を声に出して歌うこと。

너+에게 아직 다 못다 하+ㄴ 말
한

너 (だいめいし) : 듣는 사람이 친구나 아랫사람일 때, 그 사람을 가리키는 말.
おまえ【お前】。きみ【君】
聞き手が友人か目下の人である場合、その聞き手をさす語。

에게 : 어떤 행동이 미치는 대상임을 나타내는 조사.
に
行動が行われる対象を表す助詞。

아직 (ふくし) : 어떤 일이나 상태 또는 어떻게 되기까지 시간이 더 지나야 함을 나타내거나, 어떤 일이나
상태가 끝나지 않고 계속 이어지고 있음을 나타내는 말.

まだ【未だ】

あることや状態になるまでにさらに時間がかかるべきことを表す語。また、あることや状態が終わらずに続く
ことを表す語。

다 (ふくし) : 남거나 빠진 것이 없이 모두.

ぜんぶ【全部】。すべて【全て】。みな【皆】。のこらず【残らず】。もれなく

残ったり、漏れたものがなく、全て。

못다 (ふくし) : '어떤 행동을 완전히 다하지 못함'을 나타내는 말.

きれない

「ある行動をやりきれない」という意を表す語。

하다 (どうし) : 어떤 행동이나 동작, 활동 등을 행하다.

する【為る】。やる【遣る】。なす【成す・為す】

ある行動や動作、活動などを行う。

-ㄴ : 앞의 말이 관형어의 기능을 하게 만들고 사건이나 동작이 완료되어 그 상태가 유지되고 있음을 나
타내는 어미.

た。ている

前の言葉に連体修飾語の機能を持たせ、出来事や動作が完了してその状態が続いているという意を表す語
尾。

말 (めいし) : 생각이나 느낌을 표현하고 전달하는 사람의 소리.

ことば【言葉】

考えや感情を表現して伝える人の音声。

이 곡조+에+는 우리+만 알(아)+는 속삭임
곡조엔   아는

이 (かんけいし) : 말하는 사람에게 가까이 있거나 말하는 사람이 생각하고 있는 대상을 가리킬 때 쓰는
말.

この

話し手の近くにあるか、話し手が考えている対象を指す語。

곡조 (めいし) : 음악이나 노래의 흐름.

きょくちょう【曲調】

音楽や歌の流れ。

에 : 앞말이 어떤 장소나 자리임을 나타내는 조사.

に

前の言葉が場所や席であることを表す助詞。

는 : 문장 속에서 어떤 대상이 화제임을 나타내는 조사.
は
文の中で、ある対象が話題であることを表す助詞。

우리 (だいめいし) : 말하는 사람이 자기보다 높지 않은 사람에게 자기를 포함한 여러 사람들을 가리키는
　　　　　　　　　 말.
わたくしたち【私達】
話し手が自分より高くない人に自分を含めた複数の人たちを指す語。

만 : 다른 것은 제외하고 어느 것을 한정함을 나타내는 조사.
だけ。のみ
他の物事は除き、特定の物事に限定するという意を表す助詞。

알다 (どうし) : 교육이나 경험, 생각 등을 통해 사물이나 상황에 대한 정보 또는 지식을 갖추다.
しる【知る】。わかる【分かる】。りかいする【理解する】
教育・経験・思考などを通じ、事物や状況への情報または知識を備える。

-는 : 앞의 말이 관형어의 기능을 하게 만들고 사건이나 동작이 현재 일어남을 나타내는 어미.
する。ている
前の言葉に連体修飾語の機能を持たせ、出来事や動作が現在進行中であるという意を表す語尾。

속삭임 (めいし) : 작고 낮은 목소리로 가만가만히 하는 이야기.
ささやき【囁き】
小さくて低い声でひそひそとする話。

내+가 부르+는 이 노래

내 (だいめいし) : ‘나’에 조사 ‘가’가 붙을 때의 형태.
わたし【私】。ぼく【僕】。おれ【俺】。じぶん【自分】
一人称代名詞「나」に主格助詞「가」があとにつく場合の形。

가 : 어떤 상태나 상황에 놓인 대상이나 동작의 주체를 나타내는 조사.
が
ある状態や状況に置かれた対象、または動作の主体を表す助詞。

부르다 (どうし) : 곡조에 따라 노래하다.
うたう【歌う】
曲に合わせて歌を歌う。

-는 : 앞의 말이 관형어의 기능을 하게 만들고 사건이나 동작이 현재 일어남을 나타내는 어미.
する。ている
前の言葉に連体修飾語の機能を持たせ、出来事や動作が現在進行中であるという意を表す語尾。

이 (かんけいし) : 말하는 사람에게 가까이 있거나 말하는 사람이 생각하고 있는 대상을 가리킬 때 쓰는
　　　　　　　　　말.
この
話し手の近くにあるか、話し手が考えている対象を指す語。

노래 (めいし) : 운율에 맞게 지은 가사에 곡을 붙인 음악. 또는 그런 음악을 소리 내어 부름.
うた【歌・唄】。かきょく【歌曲】
韻律に合わせて作った歌詞に曲をつけた音楽。また、音楽を声に出して歌うこと。

너+에게 꼭 하+[고 싶]+은 말

너 (だいめいし) : 듣는 사람이 친구나 아랫사람일 때, 그 사람을 가리키는 말.
おまえ【お前】。きみ【君】
聞き手が友人か目下の人である場合、その聞き手をさす語。

에게 : 어떤 행동이 미치는 대상임을 나타내는 조사.
に
行動が行われる対象を表す助詞。

꼭 (ふくし) : 어떤 일이 있어도 반드시.
きっちり
何が何でも必ず。

하다 (どうし) : 어떤 행동이나 동작, 활동 등을 행하다.
する【為る】。やる【遣る】。なす【成す・為す】
ある行動や動作、活動などを行う。

-고 싶다 : 앞의 말이 나타내는 행동을 하기를 원함을 나타내는 표현.
たい
前の言葉の表す行動をしたいという意を表す表現。

-은 : 앞의 말이 관형어의 기능을 하게 만들고 현재의 상태를 나타내는 어미.
た。ている
前の言葉に連体修飾語の機能を持たせ、現在の状態の意を表す語尾。

말 (めいし) : 생각이나 느낌을 표현하고 전달하는 사람의 소리.
ことば【言葉】
考えや感情を表現して伝える人の音声。

이 선율+에+는 우리+만 알(아)+는 귓속말
　　　선율엔　　　　　　　　아는

이 (かんけいし) : 말하는 사람에게 가까이 있거나 말하는 사람이 생각하고 있는 대상을 가리킬 때 쓰는
　　　　　　　　　　말.
この
話し手の近くにあるか、話し手が考えている対象を指す語。

선율 (めいし) : 길고 짧거나 높고 낮은 소리가 어우러진 음의 흐름.
せんりつ【旋律】。ふし【節】。メロディー
音の高低・長短などが一つのまとまりとなった音の流れ。

에 : 앞말이 어떤 장소나 자리임을 나타내는 조사.
に
前の言葉が場所や席であることを表す助詞。

는 : 문장 속에서 어떤 대상이 화제임을 나타내는 조사.
は
文の中で、ある対象が話題であることを表す助詞。

우리 (だいめいし) : 말하는 사람이 자기보다 높지 않은 사람에게 자기를 포함한 여러 사람들을 가리키는
　　　　　　　　　　말.
わたくしたち【私達】
話し手が自分より高くない人に自分を含めた複数の人たちを指す語。

만 : 다른 것은 제외하고 어느 것을 한정함을 나타내는 조사.
だけ。のみ
他の物事は除き、特定の物事に限定するという意を表す助詞。

알다 (どうし) : 교육이나 경험, 생각 등을 통해 사물이나 상황에 대한 정보 또는 지식을 갖추다.
しる【知る】。わかる【分かる】。りかいする【理解する】
教育・経験・思考などを通じ、事物や状況への情報または知識を備える。

-는 : 앞의 말이 관형어의 기능을 하게 만들고 사건이나 동작이 현재 일어남을 나타내는 어미.
する。ている
前の言葉に連体修飾語の機能を持たせ、出来事や動作が現在進行中であるという意を表す語尾。

귓속말 (めいし) : 남의 귀에 입을 가까이 대고 작은 소리로 말함. 또는 그런 말.
みみうち【耳打ち】
他人の耳もとに口を寄せてこそこそ話すこと。また、そのような言葉。

아무리 화+가 나+(아)도 빠지+[어 있]+어도
　　　　　　나도　　　　빠져 있어도

아무리 (ふくし) : 비록 그렇다 하더라도.
いくら【幾ら】。どんなに
たとえそうであっても。

화 (めいし) : 몹시 못마땅하거나 노여워하는 감정.
いかり【怒り】。いきどおり【憤り】。はらだち【腹立ち】
不機嫌になったり怒ったりする感情。

가 : 어떤 상태나 상황에 놓인 대상이나 동작의 주체를 나타내는 조사.
が
ある状態や状況に置かれた対象、または動作の主体を表す助詞。

나다 (どうし) : 어떤 감정이나 느낌이 생기다.
うまれる【生まれる】。おこる【起こる】
ある感情や感じが生じる。

-아도 : 앞에 오는 말을 가정하거나 인정하지만 뒤에 오는 말에는 관계가 없거나 영향을 끼치지 않음을 나타내는 연결 어미.
ても
前の事柄を仮定したり認めたりするものの、後の事柄とは関係がないかそれに影響を及ぼさないという意を表す「連結語尾」。

삐지다 (どうし) : 화가 나거나 서운해서 마음이 뒤틀리다.
すねる【拗ねる】。ふてくされる【不貞腐れる】
怒ったり不平がましいと思って、腹わたが煮え返る思いになる。

-어 있다 : 앞의 말이 나타내는 상태가 계속됨을 나타내는 표현.
ている
前の言葉の表す状態が続いているという意を表す表現。

-어도 : 앞에 오는 말을 가정하거나 인정하지만 뒤에 오는 말에는 관계가 없거나 영향을 끼치지 않음을 나타내는 연결 어미.
ても。たって
前の事柄を仮定したり認めたりするものの、後の事柄とは関係がないかそれに影響を及ぼさないという意を表す「連結語尾」。

이 가락+에 취하+여
취해

이 (かんけいし) : 말하는 사람에게 가까이 있거나 말하는 사람이 생각하고 있는 대상을 가리킬 때 쓰는 말.
この
話し手の近くにあるか、話し手が考えている対象を指す語。

가락 (めいし) : 음악에서 음의 높낮이의 흐름.
おんちょう【音調】。きょくちょう【曲調】
音楽で音の高低の流れ。

에 : 앞말이 어떤 행위나 감정 등의 대상임을 나타내는 조사.
に
前の言葉がある行為や感情などの対象であることを表す助詞。

취하다 (どうし) : 무엇에 매우 깊이 빠져 마음을 빼앗기다.
よう【酔う】。よいしれる【酔い痴れる】。はまる【嵌まる】
何かに夢中になって心を奪われる。

-여 : 앞의 말이 뒤의 말보다 먼저 일어났거나 뒤의 말에 대한 방법이나 수단이 됨을 나타내는 연결 어미.
て。てから
前の事柄が後の事柄より先に行われたか、後の事柄の方法や手段になるという意を表す「連結語尾」。

우리+는 서로 남몰래 [눈을 맞추]+어요.
우린   눈을 맞춰요

우리 (だいめいし) : 말하는 사람이 자기보다 높지 않은 사람에게 자기를 포함한 여러 사람들을 가리키는 말.
わたくしたち【私達】
話し手が自分より高くない人に自分を含めた複数の人たちを指す語。

는 : 문장 속에서 어떤 대상이 화제임을 나타내는 조사.
は
文の中で、ある対象が話題であることを表す助詞。

서로 (ふくし) : 관계를 맺고 있는 둘 이상의 대상이 함께. 또는 같이.
たがいに【互いに】。そうほうともに【双方ともに】。そうごに【相互に】
関係する二者以上の対象がともに。また、一緒に。

남몰래 (ふくし) : 다른 사람이 모르게.
ひとしれず【人知れず】。こっそりと
他人に知れずに。

눈을 맞추다 (かんようく) : 서로 눈을 마주 보다.
目を合わせる
互いに見つめ合う。

-어요 : (두루높임으로) 어떤 사실을 서술하거나 질문, 명령, 권유함을 나타내는 종결 어미.
ます。です。ますか。ですか。てください
(略待上称) ある事実を叙述したり質問、命令、勧誘する意を表す「終結語尾」。

내+가 즐기+어 부르+는 이 노래
즐겨

내 (だいめいし) : '나'에 조사 '가'가 붙을 때의 형태.
わたし【私】。ぼく【僕】。おれ【俺】。じぶん【自分】
一人称代名詞「나」に主格助詞「가」があとにつく場合の形。

가 : 어떤 상태나 상황에 놓인 대상이나 동작의 주체를 나타내는 조사.
が
ある状態や状況に置かれた対象、または動作の主体を表す助詞。

즐기다 (どうし) : 어떤 것을 좋아하여 자주 하다.
たのしむ【楽しむ】。このむ【好む】。たしなむ【嗜む】
多くの中からそれを好きだと思い、頻繁にする。

-어 : 앞의 말이 뒤의 말보다 먼저 일어났거나 뒤의 말에 대한 방법이나 수단이 됨을 나타내는 연결 어미.
て
前の事柄が後の事柄より先に行われたか、後の事柄の方法や手段になるという意を表す「連結語尾」。

부르다 (どうし) : 곡조에 따라 노래하다.
うたう【歌う】
曲に合わせて歌を歌う。

-는 : 앞의 말이 관형어의 기능을 하게 만들고 사건이나 동작이 현재 일어남을 나타내는 어미.
する。ている
前の言葉に連体修飾語の機能を持たせ、出来事や動作が現在進行中であるという意を表す語尾。

이 (かんけいし) : 말하는 사람에게 가까이 있거나 말하는 사람이 생각하고 있는 대상을 가리킬 때 쓰는 말.
この
話し手の近くにあるか、話し手が考えている対象を指す語。

노래 (めいし) : 운율에 맞게 지은 가사에 곡을 붙인 음악. 또는 그런 음악을 소리 내어 부름.
うた【歌・唄】。かきょく【歌曲】
韻律に合わせて作った歌詞に曲をつけた音楽。また、音楽を声に出して歌うこと。

이 음악+이 흐르+면

이 (かんけいし) : 말하는 사람에게 가까이 있거나 말하는 사람이 생각하고 있는 대상을 가리킬 때 쓰는 말.
この
話し手の近くにあるか、話し手が考えている対象を指す語。

음악 (めいし) : 목소리나 악기로 박자와 가락이 있게 소리 내어 생각이나 감정을 표현하는 예술.
おんがく【音楽】
声や楽器で、拍子とリズムを用いて音を出し、考えや感情を表現する芸術。

이 : 어떤 상태나 상황의 대상이나 동작의 주체를 나타내는 조사.
が
ある状態・状況の対象や動作の主体を表す助詞。

흐르다 (どうし) : 빛, 소리, 향기 등이 부드럽게 퍼지다.
ながれる【流れる】
光、音、香りなどが穏やかに広がる。

-면 : 뒤에 오는 말에 대한 근거나 조건이 됨을 나타내는 연결 어미.
たら。なら。というなら
後にくる事柄に対する根拠や条件になるという意を表す「連結語尾」。

너+의 눈빛, 너+의 표정

너 (だいめいし) : 듣는 사람이 친구나 아랫사람일 때, 그 사람을 가리키는 말.
おまえ【お前】。きみ【君】
聞き手が友人か目下の人である場合、その聞き手をさす語。

의 : 앞의 말이 뒤의 말에 대하여 소유, 소속, 소재, 관계, 기원, 주체의 관계를 가짐을 나타내는 조사.
の
前の言葉が後ろの言葉に対し、所有、所在、関係、起源、主体の関係を持つことを表す助詞。

눈빛 (めいし) : 눈에 나타나는 감정.
めつき【目つき】
目に表れる感情。

너 (だいめいし) : 듣는 사람이 친구나 아랫사람일 때, 그 사람을 가리키는 말.
おまえ【お前】。きみ【君】
聞き手が友人か目下の人である場合、その聞き手をさす語。

의 : 앞의 말이 뒤의 말에 대하여 소유, 소속, 소재, 관계, 기원, 주체의 관계를 가짐을 나타내는 조사.
の
前の言葉が後ろの言葉に対し、所有、所在、関係、起源、主体の関係を持つことを表す助詞。

표정 (めいし) : 마음속에 품은 감정이나 생각 등이 얼굴에 드러남. 또는 그런 모습.
ひょうじょう【表情】
心の中の感情や考えなどを顔に表すこと。また、そのようす。

나+의 가슴+이 살살 녹+아요.
내

나 (だいめいし) : 말하는 사람이 친구나 아랫사람에게 자기를 가리키는 말.
わたし【私】。ぼく【僕】。おれ【俺】。じぶん【自分】
話し手が友人や目下の人に対し、自分をさす語。

의 : 앞의 말이 뒤의 말에 대하여 소유, 소속, 소재, 관계, 기원, 주체의 관계를 가짐을 나타내는 조사.
の
前の言葉が後ろの言葉に対し、所有、所在、関係、起源、主体の関係を持つことを表す助詞。

가슴 (めいし) : 마음이나 느낌.
むね【胸】
心や胸のうち。

이 : 어떤 상태나 상황의 대상이나 동작의 주체를 나타내는 조사.
が
ある状態・状況の対象や動作の主体を表す助詞。

살살 (ふくし) : 눈이나 설탕 등이 모르는 사이에 저절로 녹는 모양.
対訳語無し
雪や砂糖などが知らず知らずのうちに溶けるさま。

녹다 (どうし) : 어떤 대상에게 몹시 반하거나 빠지다.
とろける
ある対象に惚れたりおぼれたりする。

-아요 : (두루높임으로) 어떤 사실을 서술하거나 질문, 명령, 권유함을 나타내는 종결 어미.
ます。です。ますか。ですか。てください。
(略待上称) ある事実を叙述したり質問、命令、勧誘する意を表す「終結語尾」。

< 2 절(せつ【節】) >

내+가 부르+는 이 노래

내 (だいめいし) : '나'에 조사 '가'가 붙을 때의 형태.
わたし【私】。ぼく【僕】。おれ【俺】。じぶん【自分】
一人称代名詞「나」に主格助詞「가」があとにつく場合の形。

가 : 어떤 상태나 상황에 놓인 대상이나 동작의 주체를 나타내는 조사.
が
ある状態や状況に置かれた対象、または動作の主体を表す助詞。

부르다 (どうし) : 곡조에 따라 노래하다.
うたう【歌う】
曲に合わせて歌を歌う。

-는 : 앞의 말이 관형어의 기능을 하게 만들고 사건이나 동작이 현재 일어남을 나타내는 어미.
する。ている
前の言葉に連体修飾語の機能を持たせ、出来事や動作が現在進行中であるという意を表す語尾。

이 (かんけいし) : 말하는 사람에게 가까이 있거나 말하는 사람이 생각하고 있는 대상을 가리킬 때 쓰는 말.
この
話し手の近くにあるか、話し手が考えている対象を指す語。

노래 (めいし) : 운율에 맞게 지은 가사에 곡을 붙인 음악. 또는 그런 음악을 소리 내어 부름.
うた【歌・唄】。かきょく【歌曲】
韻律に合わせて作った歌詞に曲をつけた音楽。また、音楽を声に出して歌うこと。

너+에게+만 들려주+었던 말
들려줬던

너 (だいめいし) : 듣는 사람이 친구나 아랫사람일 때, 그 사람을 가리키는 말.
おまえ【お前】。きみ【君】
聞き手が友人か目下の人である場合、その聞き手をさす語。

에게 : 어떤 행동이 미치는 대상임을 나타내는 조사.
に
行動が行われる対象を表す助詞。

만 : 다른 것은 제외하고 어느 것을 한정함을 나타내는 조사.
だけ。のみ
他の物事は除き、特定の物事に限定するという意を表す助詞。

들려주다 (どうし) : 소리나 말을 듣게 해 주다.
きかせる【聞かせる】
音や言葉を聞くようにさせる。

-었던 : 과거의 사건이나 상태를 다시 떠올리거나 그 사건이나 상태가 완료되지 않고 중단되었다는 의미
　　　 를 나타내는 표현.
た。ていた
過去の出来事や状態を回想したり、その出来事や状態が完了されずに中断したという意を表す表現。

말 (めいし) : 생각이나 느낌을 표현하고 전달하는 사람의 소리.
ことば【言葉】
考えや感情を表現して伝える人の音声。

이 곡조+에+는 둘+이+만 알(아)+는 짜릿하+ㅁ
　　곡조엔　　　　　　　　아는　　짜릿함

이 (かんけいし) : 말하는 사람에게 가까이 있거나 말하는 사람이 생각하고 있는 대상을 가리킬 때 쓰는
　　　　　　　　　 말.
この
話し手の近くにあるか、話し手が考えている対象を指す語。

곡조 (めいし) : 음악이나 노래의 흐름.
きょくちょう【曲調】
音楽や歌の流れ。

에 : 앞말이 어떤 장소나 자리임을 나타내는 조사.
に
前の言葉が場所や席であることを表す助詞。

는 : 문장 속에서 어떤 대상이 화제임을 나타내는 조사.
は
文の中で、ある対象が話題であることを表す助詞。

둘 (すうし) : 하나에 하나를 더한 수.
に・ふた【二】。ふたつ【二つ】
一に一を加えた数。

이 : 어떤 상태나 상황의 대상이나 동작의 주체를 나타내는 조사.
が
ある状態・状況の対象や動作の主体を表す助詞。

만 : 다른 것은 제외하고 어느 것을 한정함을 나타내는 조사.
だけ。のみ
他の物事は除き、特定の物事に限定するという意を表す助詞。

알다 (どうし) : 교육이나 경험, 생각 등을 통해 사물이나 상황에 대한 정보 또는 지식을 갖추다.
しる【知る】。わかる【分かる】。りかいする【理解する】
教育・経験・思考などを通じ、事物や状況への情報または知識を備える。

-는 : 앞의 말이 관형어의 기능을 하게 만들고 사건이나 동작이 현재 일어남을 나타내는 어미.
する。ている
前の言葉に連体修飾語の機能を持たせ、出来事や動作が現在進行中であるという意を表す語尾。

짜릿하다 (けいようし) : 심리적 자극을 받아 마음이 순간적으로 조금 흥분되고 떨리는 듯하다.
じぃんとする
心理的な刺激を受けて瞬間的にかなり興奮し、胸騒ぎがする。

-ㅁ : 앞의 말이 명사의 기능을 하게 하는 어미.
すること。であること
前の言葉を名詞化する語尾。

내+가 부르+는 이 노래

내 (だいめいし) : '나'에 조사 '가'가 붙을 때의 형태.
わたし【私】。ぼく【僕】。おれ【俺】。じぶん【自分】
一人称代名詞「나」に主格助詞「가」があとにつく場合の形。

가 : 어떤 상태나 상황에 놓인 대상이나 동작의 주체를 나타내는 조사.
が
ある状態や状況に置かれた対象、または動作の主体を表す助詞。

부르다 (どうし) : 곡조에 따라 노래하다.
うたう【歌う】
曲に合わせて歌を歌う。

-는 : 앞의 말이 관형어의 기능을 하게 만들고 사건이나 동작이 현재 일어남을 나타내는 어미.
する。ている
前の言葉に連体修飾語の機能を持たせ、出来事や動作が現在進行中であるという意を表す語尾。

이 (かんけいし) : 말하는 사람에게 가까이 있거나 말하는 사람이 생각하고 있는 대상을 가리킬 때 쓰는
　　　　　　　　　말.
この
話し手の近くにあるか、話し手が考えている対象を指す語。

노래 (めいし) : 운율에 맞게 지은 가사에 곡을 붙인 음악. 또는 그런 음악을 소리 내어 부름.
うた【歌・唄】。かきょく【歌曲】
韻律に合わせて作った歌詞に曲をつけた音楽。また、音楽を声に出して歌うこと。

너+에게+만 속삭이+었던 말
　　　　　　속삭였던

너 (だいめいし) : 듣는 사람이 친구나 아랫사람일 때, 그 사람을 가리키는 말.
おまえ【お前】。きみ【君】
聞き手が友人か目下の人である場合、その聞き手をさす語。

에게 : 어떤 행동이 미치는 대상임을 나타내는 조사.
に
行動が行われる対象を表す助詞。

만 : 다른 것은 제외하고 어느 것을 한정함을 나타내는 조사.
だけ。のみ
他の物事は除き、特定の物事に限定するという意を表す助詞。

속삭이다 (どうし) : 남이 알아듣지 못하게 작은 목소리로 가만가만 이야기하다.
ひそひそとささやく【ひそひそと囁く】
他人に聞こえないように小声で話す。

-었던 : 과거의 사건이나 상태를 다시 떠올리거나 그 사건이나 상태가 완료되지 않고 중단되었다는 의미
　　　　를 나타내는 표현.
た。ていた
過去の出来事や状態を回想したり、その出来事や状態が完了されずに中断したという意を表す表現。

말 (めいし) : 생각이나 느낌을 표현하고 전달하는 사람의 소리.
ことば【言葉】
考えや感情を表現して伝える人の音声。

이 선율+에+ㄴ 둘+이+만 알(아)+는 아찔하+ㅁ
　　선율엔　　　　　　　아는　　　아찔함

이 (かんけいし) : 말하는 사람에게 가까이 있거나 말하는 사람이 생각하고 있는 대상을 가리킬 때 쓰는 말.
この
話し手の近くにあるか、話し手が考えている対象を指す語。

선율 (めいし) : 길고 짧거나 높고 낮은 소리가 어우러진 음의 흐름.
せんりつ【旋律】。ふし【節】。メロディー
音の高低・長短などが一つのまとまりとなった音の流れ。

에 : 앞말이 어떤 장소나 자리임을 나타내는 조사.
に
前の言葉が場所や席であることを表す助詞。

는 : 문장 속에서 어떤 대상이 화제임을 나타내는 조사.
は
文の中で、ある対象が話題であることを表す助詞。

둘 (すうし) : 하나에 하나를 더한 수.
に・ふた【二】。ふたつ【二つ】
一に一を加えた数。

이 : 어떤 상태나 상황의 대상이나 동작의 주체를 나타내는 조사.
が
ある状態・状況の対象や動作の主体を表す助詞。

만 : 다른 것은 제외하고 어느 것을 한정함을 나타내는 조사.
だけ。のみ
他の物事は除き、特定の物事に限定するという意を表す助詞。

알다 (どうし) : 교육이나 경험, 생각 등을 통해 사물이나 상황에 대한 정보 또는 지식을 갖추다.
しる【知る】。わかる【分かる】。りかいする【理解する】
教育・経験・思考などを通じ、事物や状況への情報または知識を備える。

-는 : 앞의 말이 관형어의 기능을 하게 만들고 사건이나 동작이 현재 일어남을 나타내는 어미.
する。ている
前の言葉に連体修飾語の機能を持たせ、出来事や動作が現在進行中であるという意を表す語尾。

아찔하다 (けいようし) : 놀라거나 해서 갑자기 정신이 흐려지고 어지럽다.
くらりとする
驚いたりしていきなり気がぬけてめまいがする。

-ㅁ : 앞의 말이 명사의 기능을 하게 하는 어미.
すること。であること
前の言葉を名詞化する語尾。

아무리 <u>토라지+어도</u> <u>삐지+[어 있]+어도</u>
　　　　　토라져도　　　삐져 있어도

아무리 (ふくし) : 비록 그렇다 하더라도.
いくら【幾ら】。どんなに
たとえそうであっても。

토라지다 (どうし) : 마음에 들지 않아 불만스러워 싹 돌아서다.
すねる【拗ねる】。へそをまげる【へそを曲げる】。つむじをまげる【旋毛を曲げる】
気に入らず、不満に思って、背を向ける。

-어도 : 앞에 오는 말을 가정하거나 인정하지만 뒤에 오는 말에는 관계가 없거나 영향을 끼치지 않음을
　　　　나타내는 연결 어미.
ても。たって
前の事柄を仮定したり認めたりするものの、後の事柄とは関係がないかそれに影響を及ぼさないという意を表
す「連結語尾」。

삐지다 (どうし) : 화가 나거나 서운해서 마음이 뒤틀리다.
すねる【拗ねる】。ふてくされる【不貞腐れる】
怒ったり不平がましいと思って、腹わたが煮え返る思いになる。

-어 있다 : 앞의 말이 나타내는 상태가 계속됨을 나타내는 표현.
ている
前の言葉の表す状態が続いているという意を表す表現。

-어도 : 앞에 오는 말을 가정하거나 인정하지만 뒤에 오는 말에는 관계가 없거나 영향을 끼치지 않음을
　　　　나타내는 연결 어미.
ても。たって
前の事柄を仮定したり認めたりするものの、後の事柄とは関係がないかそれに影響を及ぼさないという意を表
す「連結語尾」。

이 노랫말+에 <u>잠기+어</u>
　　　　　　　잠겨

이 (かんけいし) : 말하는 사람에게 가까이 있거나 말하는 사람이 생각하고 있는 대상을 가리킬 때 쓰는
　　　　　　　　　말.
この
話し手の近くにあるか、話し手が考えている対象を指す語。

노랫말 (めいし) : 노래의 가락에 따라 부를 수 있게 만든 글이나 말.
かし【歌詞】
歌のメロディーに合わせて歌うことができるように作った文や言葉。

에 : 앞말이 어떤 행위나 감정 등의 대상임을 나타내는 조사.
に
前の言葉がある行為や感情などの対象であることを表す助詞。

잠기다 (どうし) : 생각이나 느낌 속에 빠지다.
ひたる【浸る】。しずむ【沈む】。ふける【耽る】
考えや感情に入りきる。

-어 : 앞의 말이 뒤의 말보다 먼저 일어났거나 뒤의 말에 대한 방법이나 수단이 됨을 나타내는 연결 어미.
て
前の事柄が後の事柄より先に行われたか、後の事柄の方法や手段になるという意を表す「連結語尾」。

우리+는 서로 남몰래 [눈을 맞추]+어요.
우린   눈을 맞춰요

우리 (だいめいし) : 말하는 사람이 자기보다 높지 않은 사람에게 자기를 포함한 여러 사람들을 가리키는
                말.
わたくしたち【私達】
話し手が自分より高くない人に自分を含めた複数の人たちを指す語。

는 : 문장 속에서 어떤 대상이 화제임을 나타내는 조사.
は
文の中で、ある対象が話題であることを表す助詞。

서로 (ふくし) : 관계를 맺고 있는 둘 이상의 대상이 함께. 또는 같이.
たがいに【互いに】。そうほうともに【双方ともに】。そうごに【相互に】
関係する二者以上の対象がともに。また、一緒に。

남몰래 (ふくし) : 다른 사람이 모르게.
ひとしれず【人知れず】。こっそりと
他人に知れずに。

눈을 맞추다 (かんようく) : 서로 눈을 마주 보다.
目を合わせる
互いに見つめ合う。

-어요 : (두루높임으로) 어떤 사실을 서술하거나 질문, 명령, 권유함을 나타내는 종결 어미.
ます。です。ますか。ですか。てください
(略待上称) ある事実を叙述したり質問、命令、勧誘する意を表す「終結語尾」。

내+가 즐기+어 부르+는 이 노래
　　　즐겨

내 (だいめいし) : '나'에 조사 '가'가 붙을 때의 형태.
わたし【私】。ぼく【僕】。おれ【俺】。じぶん【自分】
一人称代名詞「나」に主格助詞「가」があとにつく場合の形。

가 : 어떤 상태나 상황에 놓인 대상이나 동작의 주체를 나타내는 조사.
が
ある状態や状況に置かれた対象、または動作の主体を表す助詞。

즐기다 (どうし) : 어떤 것을 좋아하여 자주 하다.
たのしむ【楽しむ】。このむ【好む】。たしなむ【嗜む】
多くの中からそれを好きだと思い、頻繁にする。

-어 : 앞의 말이 뒤의 말보다 먼저 일어났거나 뒤의 말에 대한 방법이나 수단이 됨을 나타내는 연결 어미.
て
前の事柄が後の事柄より先に行われたか、後の事柄の方法や手段になるという意を表す「連結語尾」。

부르다 (どうし) : 곡조에 따라 노래하다.
うたう【歌う】
曲に合わせて歌を歌う。

-는 : 앞의 말이 관형어의 기능을 하게 만들고 사건이나 동작이 현재 일어남을 나타내는 어미.
する。ている
前の言葉に連体修飾語の機能を持たせ、出来事や動作が現在進行中であるという意を表す語尾。

이 (かんけいし) : 말하는 사람에게 가까이 있거나 말하는 사람이 생각하고 있는 대상을 가리킬 때 쓰는 말.
この
話し手の近くにあるか、話し手が考えている対象を指す語。

노래 (めいし) : 운율에 맞게 지은 가사에 곡을 붙인 음악. 또는 그런 음악을 소리 내어 부름.
うた【歌・唄】。かきょく【歌曲】
韻律に合わせて作った歌詞に曲をつけた音楽。また、音楽を声に出して歌うこと。

이 음악+이 흐르+면

이 (かんけいし) : 말하는 사람에게 가까이 있거나 말하는 사람이 생각하고 있는 대상을 가리킬 때 쓰는 말.
この
話し手の近くにあるか、話し手が考えている対象を指す語。

음악 (めいし) : 목소리나 악기로 박자와 가락이 있게 소리 내어 생각이나 감정을 표현하는 예술.
おんがく【音楽】
声や楽器で、拍子とリズムを用いて音を出し、考えや感情を表現する芸術。

이 : 어떤 상태나 상황의 대상이나 동작의 주체를 나타내는 조사.
が
ある状態・状況の対象や動作の主体を表す助詞。

흐르다 (どうし) : 빛, 소리, 향기 등이 부드럽게 퍼지다.
ながれる【流れる】
光、音、香りなどが穏やかに広がる。

-면 : 뒤에 오는 말에 대한 근거나 조건이 됨을 나타내는 연결 어미.
たら。なら。というなら
後にくる事柄に対する根拠や条件になるという意を表す「連結語尾」。

너+의 눈빛, 너+의 표정

너 (だいめいし) : 듣는 사람이 친구나 아랫사람일 때, 그 사람을 가리키는 말.
おまえ【お前】。きみ【君】
聞き手が友人か目下の人である場合、その聞き手をさす語。

의 : 앞의 말이 뒤의 말에 대하여 소유, 소속, 소재, 관계, 기원, 주체의 관계를 가짐을 나타내는 조사.
の
前の言葉が後ろの言葉に対し、所有、所在、関係、起源、主体の関係を持つことを表す助詞。

눈빛 (めいし) : 눈에 나타나는 감정.
めつき【目つき】
目に表れる感情。

너 (だいめいし) : 듣는 사람이 친구나 아랫사람일 때, 그 사람을 가리키는 말.
おまえ【お前】。きみ【君】
聞き手が友人か目下の人である場合、その聞き手をさす語。

의 : 앞의 말이 뒤의 말에 대하여 소유, 소속, 소재, 관계, 기원, 주체의 관계를 가짐을 나타내는 조사.
の
前の言葉が後ろの言葉に対し、所有、所在、関係、起源、主体の関係を持つことを表す助詞。

표정 (めいし) : 마음속에 품은 감정이나 생각 등이 얼굴에 드러남. 또는 그런 모습.
ひょうじょう【表情】
心の中の感情や考えなどを顔に表すこと。また、そのようす。

나+의 가슴+이 살살 녹+아요.
내

나 (だいめいし) : 말하는 사람이 친구나 아랫사람에게 자기를 가리키는 말.
わたし【私】。ぼく【僕】。おれ【俺】。じぶん【自分】
話し手が友人や目下の人に対し、自分をさす語。

의 : 앞의 말이 뒤의 말에 대하여 소유, 소속, 소재, 관계, 기원, 주체의 관계를 가짐을 나타내는 조사.
の
前の言葉が後ろの言葉に対し、所有、所在、関係、起源、主体の関係を持つことを表す助詞。

가슴 (めいし) : 마음이나 느낌.
むね【胸】
心や胸のうち。

이 : 어떤 상태나 상황의 대상이나 동작의 주체를 나타내는 조사.
が
ある状態・状況の対象や動作の主体を表す助詞。

살살 (ふくし) : 눈이나 설탕 등이 모르는 사이에 저절로 녹는 모양.
対訳語無し
雪や砂糖などが知らず知らずのうちに溶けるさま。

녹다 (どうし) : 어떤 대상에게 몹시 반하거나 빠지다.
とろける
ある対象に惚れたりおぼれたりする。

-아요 : (두루높임으로) 어떤 사실을 서술하거나 질문, 명령, 권유함을 나타내는 종결 어미.
ます。です。ますか。ですか。てください。
(略待上称) ある事実を叙述したり質問、命令、勧誘する意を表す「終結語尾」。

< 3 절(せつ【節】) >

우리 둘+이 부르+는 이 노래

우리 (だいめいし) : 말하는 사람이 자기보다 높지 않은 사람에게 자기를 포함한 여러 사람들을 가리키는 말.
わたくしたち【私達】
話し手が自分より高くない人に自分を含めた複数の人たちを指す語。

둘 (すうし) : 하나에 하나를 더한 수.
に・ふた【二】。ふたつ【二つ】
一に一を加えた数。

이 : 어떤 상태나 상황의 대상이나 동작의 주체를 나타내는 조사.
が
ある状態・状況の対象や動作の主体を表す助詞。

부르다 (どうし) : 곡조에 따라 노래하다.
うたう【歌う】
曲に合わせて歌を歌う。

-는 : 앞의 말이 관형어의 기능을 하게 만들고 사건이나 동작이 현재 일어남을 나타내는 어미.
する。ている
前の言葉に連体修飾語の機能を持たせ、出来事や動作が現在進行中であるという意を表す語尾。

이 (かんけいし) : 말하는 사람에게 가까이 있거나 말하는 사람이 생각하고 있는 대상을 가리킬 때 쓰는 말.
この
話し手の近くにあるか、話し手が考えている対象を指す語。

노래 (めいし) : 운율에 맞게 지은 가사에 곡을 붙인 음악. 또는 그런 음악을 소리 내어 부름.
うた【歌・唄】。かきょく【歌曲】
韻律に合わせて作った歌詞に曲をつけた音楽。また、音楽を声に出して歌うこと。

우리 둘+만 알(아)+는 이 노래
　　　　　　아는

우리 (だいめいし) : 말하는 사람이 자기보다 높지 않은 사람에게 자기를 포함한 여러 사람들을 가리키는 말.
わたくしたち【私達】
話し手が自分より高くない人に自分を含めた複数の人たちを指す語。

둘 (すうし) : 하나에 하나를 더한 수.
に・ふた【二】。ふたつ【二つ】
一に一を加えた数。

만 : 다른 것은 제외하고 어느 것을 한정함을 나타내는 조사.
だけ。のみ
他の物事は除き、特定の物事に限定するという意を表す助詞。

알다 (どうし) : 교육이나 경험, 생각 등을 통해 사물이나 상황에 대한 정보 또는 지식을 갖추다.
しる【知る】。わかる【分かる】。りかいする【理解する】
教育・経験・思考などを通じ、事物や状況への情報または知識を備える。

-는 : 앞의 말이 관형어의 기능을 하게 만들고 사건이나 동작이 현재 일어남을 나타내는 어미.
する。ている
前の言葉に連体修飾語の機能を持たせ、出来事や動作が現在進行中であるという意を表す語尾。

이 (かんけいし) : 말하는 사람에게 가까이 있거나 말하는 사람이 생각하고 있는 대상을 가리킬 때 쓰는 말.
この
話し手の近くにあるか、話し手が考えている対象を指す語。

노래 (めいし) : 운율에 맞게 지은 가사에 곡을 붙인 음악. 또는 그런 음악을 소리 내어 부름.
うた【歌・唄】。かきょく【歌曲】
韻律に合わせて作った歌詞に曲をつけた音楽。また、音楽を声に出して歌うこと。

우리 둘+이 영원히 함께 부르(불ㄹ)+어요.
불러요

우리 (だいめいし) : 말하는 사람이 자기보다 높지 않은 사람에게 자기를 포함한 여러 사람들을 가리키는 말.
わたくしたち【私達】
話し手が自分より高くない人に自分を含めた複数の人たちを指す語。

둘 (すうし) : 하나에 하나를 더한 수.
に・ふた【二】。ふたつ【二つ】
一に一を加えた数。

이 : 어떤 상태나 상황의 대상이나 동작의 주체를 나타내는 조사.
が
ある状態・状況の対象や動作の主体を表す助詞。

영원히 (ふくし) : 끝없이 이어지는 상태로. 또는 언제까지나 변하지 않는 상태로.
えいえんに【永遠に】
いつまでも果てしなく続く状態で。または、いつまでも変わらない状態で。

함께 (ふくし) : 여럿이서 한꺼번에 같이.
いっしょに【一緒に】。ともに【共に】
複数の人がともに。

부르다 (どうし) : 곡조에 따라 노래하다.
うたう【歌う】
曲に合わせて歌を歌う。

-어요 : (두루높임으로) 어떤 사실을 서술하거나 질문, 명령, 권유함을 나타내는 종결 어미.
ます。です。ますか。ですか。てください
(略待上称) ある事実を叙述したり質問、命令、勧誘する意を表す「終結語尾」。

이 음표+에 우리 사랑 싣+고

이 (かんけいし) : 말하는 사람에게 가까이 있거나 말하는 사람이 생각하고 있는 대상을 가리킬 때 쓰는 말.
この
話し手の近くにあるか、話し手が考えている対象を指す語。

음표 (めいし) : 악보에서 음의 길이와 높낮이를 나타내는 기호.
おんぷ【音符】
楽譜で音の長短や高低を表す記号。

에 : 앞말이 어떤 행위나 작용이 미치는 대상임을 나타내는 조사.
に
前の言葉が行為や作用が影響を及ぼす対象であることを表す助詞。

우리 (だいめいし) : 말하는 사람이 자기보다 높지 않은 사람에게 자기를 포함한 여러 사람들을 가리키는 말.
わたくしたち【私達】
話し手が自分より高くない人に自分を含めた複数の人たちを指す語。

사랑 (めいし) : 상대에게 성적으로 매력을 느껴 열렬히 좋아하는 마음.
あい【愛】。こい【恋】。あいじょう【愛情】
相手に性的な魅力を感じて、熱烈に恋い慕う情。

싣다 (どうし) : 어떤 현상이나 뜻을 나타내거나 담다.
うかべる【浮かべる・浮べる】。こめる【込める】
ある現象や意味を表す。

-고 : 앞의 말이 나타내는 행동이나 그 결과가 뒤에 오는 행동이 일어나는 동안에 그대로 지속됨을 나타
　　내는 연결 어미.
て
前の言葉の表す動作やその結果が、次にくる動作が行われる間にもそのまま持続されるという意を表す「連結
語尾」。

높+고 낮+게 길+고 짧+은 리듬

높다 (けいようし) : 소리가 음의 차례에서 위쪽이거나 진동수가 크다.
たかい【高い】
音が音階で上の方にあるか振動数が大きい。

-고 : 두 가지 이상의 대등한 사실을 나열할 때 쓰는 연결 어미.
て
二つ以上の対等な事柄を並べ立てるのに用いる「連結語尾」。

낮다 (けいようし) : 소리가 음의 차례에서 아래쪽이거나 진동수가 작다.
ひくい【低い】
音が音階の中で下の方か振動数が少ない。

-게 : 앞의 말이 뒤에서 가리키는 일의 목적이나 결과, 방식, 정도 등이 됨을 나타내는 연결 어미.
…く。…に。ように。ほど
前の事柄が後の事柄の目的・結果・方法・程度などになるという意を表す「連結語尾」。

길다 (けいようし) : 한 때에서 다음의 한 때까지 이어지는 시간이 오래다.
ながい【長い】
ある時期から次の時期までの時間が長く続く。

-고 : 두 가지 이상의 대등한 사실을 나열할 때 쓰는 연결 어미.
て
二つ以上の対等な事柄を並べ立てるのに用いる「連結語尾」。

짧다 (けいようし) : 한 때에서 다른 때까지의 동안이 오래지 않다.
みじかい【短い】
ある時点から時点までの間隔が久しくない。

-은 : 앞의 말이 관형어의 기능을 하게 만들고 현재의 상태를 나타내는 어미.
た。ている
前の言葉に連体修飾語の機能を持たせ、現在の状態の意を表す語尾。

리듬 (めいし) : 소리의 높낮이, 길이, 세기 등이 일정하게 반복되는 것.
リズム
音の高低、長さ、強弱などが一定に繰り返されること。

이 가락+에 밤새+도록 취하+[여 보]+아요.
취해 봐요

이 (かんけいし) : 말하는 사람에게 가까이 있거나 말하는 사람이 생각하고 있는 대상을 가리킬 때 쓰는
　　　　　　　　　말.
この
話し手の近くにあるか、話し手が考えている対象を指す語。

가락 (めいし) : 음악에서 음의 높낮이의 흐름.
おんちょう【音調】。きょくちょう【曲調】
音楽で音の高低の流れ。

에 : 앞말이 어떤 행위나 감정 등의 대상임을 나타내는 조사.
に
前の言葉がある行為や感情などの対象であることを表す助詞。

밤새다 (どうし) : 밤이 지나 아침이 오다.
よあかしする【夜明かしする】。てつやする【徹夜する】
夜が終わって朝になる。

-도록 : 앞에 오는 말이 뒤에 오는 말에 대한 목적이나 결과, 방식, 정도임을 나타내는 연결 어미.
ように
前の事柄が後の事柄の目的・結果・方法・程度などになるという意を表す「連結語尾」。

취하다 (どうし) : 무엇에 매우 깊이 빠져 마음을 빼앗기다.
よう【酔う】。よいしれる【酔い痴れる】。はまる【嵌まる】
何かに夢中になって心を奪われる。

-여 보다 : 앞의 말이 나타내는 행동을 시험 삼아 함을 나타내는 표현.
てみる
前の言葉の表す行動を試してやるという意を表す表現。

-아요 : (두루높임으로) 어떤 사실을 서술하거나 질문, 명령, 권유함을 나타내는 종결 어미.
ます。です。ますか。ですか。てください。
(略待上称) ある事実を叙述したり質問、命令、勧誘する意を表す「終結語尾」。

< 8 >

최고야

너는 최고야.
(あなたは最高です。)

[발음(はつおん【発音】)]

< 1 절(せつ【節】) >

엄마, 치킨 먹고 싶어.
엄마, 치킨 먹꼬 시퍼.
eomma, chikin meokgo sipeo.

아빠, 피자 먹고 싶어.
아빠, 피자 먹꼬 시퍼.
appa, pija meokgo sipeo.

치킨 먹고 싶어.
치킨 먹꼬 시퍼.
chikin meokgo sipeo.

피자 먹고 싶어.
피자 먹꼬 시퍼.
pija meokgo sipeo.

시켜 줘, 시켜 줘.
시켜 줘, 시켜 줘.
sikyeo jwo, sikyeo jwo.

전부 시켜 줘.
전부 시켜 줘.
jeonbu sikyeo jwo.

시켜, 뭐든지 시켜.
시켜, 뭐든지 시켜.
sikyeo, mwodeunji sikyeo.

시켜, 전부 다 시켜.
시켜, 전부 다 시켜.
sikyeo, jeonbu da sikyeo.

먹고 싶은 거, 맛보고 싶은 거 전부 다 시켜.
먹꼬 시픈 거, 맏뽀고 시픈 거 전부 다 시켜.
meokgo sipeun geo, matbogo sipeun geo jeonbu da sikyeo.

엄만 언제나 최고야.
엄만 언제나 최고야.
eomman eonjena choegoya.

최고, 최고, 최고
최고, 최고, 최고
choego, choego, choego

아빠 언제나 최고야.
아빠 언제나 최고야.
appan eonjena choegoya.

최고, 최고, 아빠 최고.
최고, 최고, 아빠 최고.
choego, choego, appa choego.

엄마 최고, 아빠 최고, 엄마 최고, 아빠 최고.
엄마 최고, 아빠 최고, 엄마 최고, 아빠 최고.
eomma choego, appa choego, eomma choego, appa choego.

< 2 절(せつ【節】) >

언니, 햄버거 먹고 싶어.
언니, 햄버거 먹꼬 시퍼.
eonni, haembeogeo meokgo sipeo.

오빠, 돈가스 먹고 싶어.
오빠, 돈가스 먹꼬 시퍼.
oppa, dongaseu meokgo sipeo.

햄버거 먹고 싶어.
햄버거 먹꼬 시퍼.
haembeogeo meokgo sipeo.

돈가스 먹고 싶어.
돈가스 먹꼬 시퍼.
dongaseu meokgo sipeo.

시켜 줘, 시켜 줘.
시켜 줘, 시켜 줘.
sikyeo jwo, sikyeo jwo.

전부 시켜 줘.
전부 시켜 줘.
jeonbu sikyeo jwo.

시켜, 뭐든지 시켜.
시켜, 뭐든지 시켜.
sikyeo, mwodeunji sikyeo.

시켜, 전부 다 시켜.
시켜, 전부 다 시켜.
sikyeo, jeonbu da sikyeo.

먹고 싶은 거, 맛보고 싶은 거 전부 다 시켜.
먹꼬 시픈 거, 맏뽀고 시픈 거 전부 다 시켜.
meokgo sipeun geo, matbogo sipeun geo jeonbu da sikyeo.

초밥도, 짜장면도, 짬뽕도, 탕수육도, 떡볶이도, 순대도, 김밥도, 냉면도.
초밥또, 짜장면도, 짬뽕도, 탕수육또, 떡뽀끼도, 순대도, 김밥또, 냉면도.
chobapdo, jjajangmyeondo, jjamppongdo, tangsuyukdo, tteokbokkido, sundaedo, gimbapdo, naengmyeondo.

시켜, 시켜, 뭐든지 시켜.
시켜, 시켜, 뭐든지 시켜.
sikyeo, sikyeo, mwodeunji sikyeo.

먹고 싶은 거 다 시켜.
먹꼬 시픈 거 다 시켜.
meokgo sipeun geo da sikyeo.

뭐든지 다 시켜 줄게.
뭐든지 다 시켜 줄께.
mwodeunji da sikyeo julge.

전부 다 시켜 줄게.
전부 다 시켜 줄께.
jeonbu da sikyeo julge.

언닌 언제나 최고야.
언닌 언제나 최고야.
eonnin eonjena choegoya.

최고, 최고, 최고.
최고, 최고, 최고.
choego, choego, choego.

오빠 언제나 최고야.
오빠 언제나 최고야.
oppan eonjena choegoya.

최고, 최고, 오빠 최고.
최고, 최고, 오빠 최고.
choego, choego, oppa choego.

엄마가 최고야, 엄마 최고.

엄마가 최고야, 엄마 최고.

eommaga choegoya, eomma choego.

아빠가 최고야, 아빠 최고.

아빠가 최고야, 아빠 최고.

appaga choegoya, appa choego.

최고, 최고, 언니 최고.

최고, 최고, 언니 최고.

choego, choego, eonni choego.

오빠가 최고야, 오빠 최고.

오빠가 최고야, 오빠 최고.

oppaga choegoya, oppa choego.

< 1 절(せつ【節】) >

엄마, 치킨 먹+[고 싶]+어.

엄마 (めいし) : 격식을 갖추지 않아도 되는 상황에서 어머니를 이르거나 부르는 말.
ママ。おかあちゃん【お母ちゃん】
くだけた場面で母親を指したり呼ぶ語。

치킨 (めいし) : 토막을 낸 닭에 밀가루 등을 묻혀 기름에 튀기거나 구운 음식.
フライドチキン。とりのからあげ【鶏のから揚げ】
適当に切った鶏肉に小麦粉などの衣をまぶして、食用油で揚げたり焼いたりした食べ物。

먹다 (どうし) : 음식 등을 입을 통하여 배 속에 들여보내다.
たべる【食べる】。くう【食う・喰う】。くらう【食らう】
食べ物を口の中に入れて飲み込む。

-고 싶다 : 앞의 말이 나타내는 행동을 하기를 원함을 나타내는 표현.
たい
前の言葉の表す行動をしたいという意を表す表現。

-어 : (두루낮춤으로) 어떤 사실을 서술하거나 물음, 명령, 권유를 나타내는 종결 어미.
のか。なさい。よう。ましょう
(略待下称) ある事実を叙述したり、質問・命令・勧誘の意を表す「終結語尾」。<じょじゅつ【叙述】>

아빠, 피자 먹+[고 싶]+어.

아빠 (めいし) : 격식을 갖추지 않아도 되는 상황에서 아버지를 이르거나 부르는 말.
パパ。おとうちゃん【お父ちゃん】
くだけた場面で父親を指したり呼ぶ語。

피자 (めいし) : 이탈리아에서 유래한 것으로 둥글고 납작한 밀가루 반죽 위에 토마토, 고기, 치즈 등을 얹
어 구운 음식.
ピザ。ピッツァ
イタリア料理で、丸くて平らな小麦粉の生地の上に、トマト・肉・チーズなどをのせて焼いた食品。

먹다 (どうし) : 음식 등을 입을 통하여 배 속에 들여보내다.
たべる【食べる】。くう【食う・喰う】。くらう【食らう】
食べ物を口の中に入れて飲み込む。

-고 싶다 : 앞의 말이 나타내는 행동을 하기를 원함을 나타내는 표현.
たい
前の言葉の表す行動をしたいという意を表す表現。

-어 : (두루낮춤으로) 어떤 사실을 서술하거나 물음, 명령, 권유를 나타내는 종결 어미.
のか。なさい。よう。ましょう
(略待下称) ある事実を叙述したり、質問・命令・勧誘の意を表す「終結語尾」。<じょじゅつ【叙述】>

치킨 먹+[고 싶]+어.

치킨 (めいし) : 토막을 낸 닭에 밀가루 등을 묻혀 기름에 튀기거나 구운 음식.
フライドチキン。とりのからあげ【鶏のから揚げ】
適当に切った鶏肉に小麦粉などの衣をまぶして、食用油で揚げたり焼いたりした食べ物。

먹다 (どうし) : 음식 등을 입을 통하여 배 속에 들여보내다.
たべる【食べる】。くう【食う・喰う】。くらう【食らう】
食べ物を口の中に入れて飲み込む。

-고 싶다 : 앞의 말이 나타내는 행동을 하기를 원함을 나타내는 표현.
たい
前の言葉の表す行動をしたいという意を表す表現。

-어 : (두루낮춤으로) 어떤 사실을 서술하거나 물음, 명령, 권유를 나타내는 종결 어미.
のか。なさい。よう。ましょう
(略待下称) ある事実を叙述したり、質問・命令・勧誘の意を表す「終結語尾」。<じょじゅつ【叙述】>

피자 먹+[고 싶]+어.

피자 (めいし) : 이탈리아에서 유래한 것으로 둥글고 납작한 밀가루 반죽 위에 토마토, 고기, 치즈 등을 얹어 구운 음식.
ピザ。ピッツァ
イタリア料理で、丸くて平らな小麦粉の生地の上に、トマト・肉・チーズなどをのせて焼いた食品。

먹다 (どうし) : 음식 등을 입을 통하여 배 속에 들여보내다.
たべる【食べる】。くう【食う・喰う】。くらう【食らう】
食べ物を口の中に入れて飲み込む。

-고 싶다 : 앞의 말이 나타내는 행동을 하기를 원함을 나타내는 표현.
たい
前の言葉の表す行動をしたいという意を表す表現。

-어 : (두루낮춤으로) 어떤 사실을 서술하거나 물음, 명령, 권유를 나타내는 종결 어미.
のか。なさい。よう。ましょう
(略待下称) ある事実を叙述したり、質問・命令・勧誘の意を表す「終結語尾」。<じょじゅつ【叙述】>

시키+[어 주]+어, 시키+[어 주]+어.
시켜 줘　　　　시켜 줘

시키다 (どうし) : 음식이나 술, 음료 등을 주문하다.
ちゅうもんする【注文する】
料理や酒、飲み物などを注文する。

-어 주다 : 남을 위해 앞의 말이 나타내는 행동을 함을 나타내는 표현.
てやる。てあげる。てくれる
他人のために前の言葉の表す行動をするという意を表す表現。

-어 : (두루낮춤으로) 어떤 사실을 서술하거나 물음, 명령, 권유를 나타내는 종결 어미.
のか。なさい。よう。ましょう
(略待下称) ある事実を叙述したり、質問・命令・勧誘の意を表す「終結語尾」。<めいれい【命令】>

전부 시키+[어 주]+어.
시켜 줘

전부 (ふくし) : 빠짐없이 다.
ぜんぶ【全部】。すべて【全て・凡て・総て】。みな【皆】
残らず。

시키다 (どうし) : 음식이나 술, 음료 등을 주문하다.
ちゅうもんする【注文する】
料理や酒、飲み物などを注文する。

-어 주다 : 남을 위해 앞의 말이 나타내는 행동을 함을 나타내는 표현.
てやる。てあげる。てくれる
他人のために前の言葉の表す行動をするという意を表す表現。

-어 : (두루낮춤으로) 어떤 사실을 서술하거나 물음, 명령, 권유를 나타내는 종결 어미.
のか。なさい。よう。ましょう
(略待下称) ある事実を叙述したり、質問・命令・勧誘の意を表す「終結語尾」。<めいれい【命令】>

<u>시키</u>+어, 뭐+든지 <u>시키</u>+어.
   시켜   시켜

시키다 (どうし) : 음식이나 술, 음료 등을 주문하다.
ちゅうもんする【注文する】
料理や酒、飲み物などを注文する。

-어 : (두루낮춤으로) 어떤 사실을 서술하거나 물음, 명령, 권유를 나타내는 종결 어미.
のか。なさい。よう。ましょう
(略待下称) ある事実を叙述したり、質問・命令・勧誘の意を表す「終結語尾」。<めいれい【命令】>

뭐 (だいめいし) : 정해지지 않은 대상이나 굳이 이름을 밝힐 필요가 없는 대상을 가리키는 말.
なん・なに【何】
特定でない対象や必ずしも名を明かす必要のない対象を指す語。

든지 : 어느 것이 선택되어도 차이가 없음을 나타내는 조사.
でも。だって
どれが選択されても差がないという意を表す助詞。

시키다 (どうし) : 음식이나 술, 음료 등을 주문하다.
ちゅうもんする【注文する】
料理や酒、飲み物などを注文する。

-어 : (두루낮춤으로) 어떤 사실을 서술하거나 물음, 명령, 권유를 나타내는 종결 어미.
のか。なさい。よう。ましょう
(略待下称) ある事実を叙述したり、質問・命令・勧誘の意を表す「終結語尾」。<めいれい【命令】>

<u>시키</u>+어, 전부 다 <u>시키</u>+어.
   시켜   시켜

시키다 (どうし) : 음식이나 술, 음료 등을 주문하다.
ちゅうもんする【注文する】
料理や酒、飲み物などを注文する。

-어 : (두루낮춤으로) 어떤 사실을 서술하거나 물음, 명령, 권유를 나타내는 종결 어미.
のか。なさい。よう。ましょう
(略待下称) ある事実を叙述したり、質問・命令・勧誘の意を表す「終結語尾」。<めいれい【命令】>

전부 (ふくし) : 빠짐없이 다.
ぜんぶ【全部】。すべて【全て・凡て・総て】。みな【皆】
残らず。

다 (ふくし) : 남거나 빠진 것이 없이 모두.
ぜんぶ【全部】。すべて【全て】。みな【皆】。のこらず【残らず】。もれなく
残ったり、漏れたものがなく、全て。

시키다 (どうし) : 음식이나 술, 음료 등을 주문하다.
ちゅうもんする【注文する】
料理や酒、飲み物などを注文する。

-어 : (두루낮춤으로) 어떤 사실을 서술하거나 물음, 명령, 권유를 나타내는 종결 어미.
のか。なさい。よう。ましょう
(略待下称) ある事実を叙述したり、質問・命令・勧誘の意を表す「終結語尾」。<めいれい【命令】>

먹+[고 싶]+[은 거], 맛보+[고 싶]+[은 거] 전부 다 시키+어.
시켜

먹다 (どうし) : 음식 등을 입을 통하여 배 속에 들여보내다.
たべる【食べる】。くう【食う・喰う】。くらう【食らう】
食べ物を口の中に入れて飲み込む。

-고 싶다 : 앞의 말이 나타내는 행동을 하기를 원함을 나타내는 표현.
たい
前の言葉の表す行動をしたいという意を表す表現。

-은 거 : 명사가 아닌 것을 문장에서 명사처럼 쓰이게 하거나 '이다' 앞에 쓰일 수 있게 할 때 쓰는 표현.
こと。の。もの
名詞でないものを文中で名詞化し、「이다」の前にくるようにするのに用いる表現。

맛보다 (どうし) : 음식의 맛을 알기 위해 먹어 보다.
あじわう【味わう】。あじみする【味見する】
食べ物の味をみるために食べてみる。

-고 싶다 : 앞의 말이 나타내는 행동을 하기를 원함을 나타내는 표현.
たい
前の言葉の表す行動をしたいという意を表す表現。

-은 거 : 명사가 아닌 것을 문장에서 명사처럼 쓰이게 하거나 '이다' 앞에 쓰일 수 있게 할 때 쓰는 표현.
こと。の。もの
名詞でないものを文中で名詞化し、「이다」の前にくるようにするのに用いる表現。

전부 (ふくし) : 빠짐없이 다.
ぜんぶ【全部】。すべて【全て・凡て・総て】。みな【皆】
残らず。

다 (ふくし) : 남거나 빠진 것이 없이 모두.
ぜんぶ【全部】。すべて【全て】。みな【皆】。のこらず【残らず】。もれなく
残ったり、漏れたものがなく、全て。

시키다 (どうし) : 음식이나 술, 음료 등을 주문하다.
ちゅうもんする【注文する】
料理や酒、飲み物などを注文する。

-어 : (두루낮춤으로) 어떤 사실을 서술하거나 물음, 명령, 권유를 나타내는 종결 어미.
のか。なさい。よう。ましょう
(略待下称) ある事実を叙述したり、質問・命令・勧誘の意を表す「終結語尾」。<めいれい【命令】>

엄마+는 언제나 최고+(이)+야.
엄만   최고야

엄마 (めいし) : 격식을 갖추지 않아도 되는 상황에서 어머니를 이르거나 부르는 말.
ママ。おかあちゃん【お母ちゃん】
くだけた場面で母親を指したり呼ぶ語。

는 : 문장 속에서 어떤 대상이 화제임을 나타내는 조사.
は
文の中で、ある対象が話題であることを表す助詞。

언제나 (ふくし) : 어느 때에나. 또는 때에 따라 달라지지 않고 변함없이.
いつも【何時も】。つねに【常に】
どんな時でも。また、どのような時でも変わらず。

최고 (めいし) : 가장 좋거나 뛰어난 것.
さいこう【最高】
最も良いか、優れていもの。

이다 : 주어가 지시하는 대상의 속성이나 부류를 지정하는 뜻을 나타내는 서술격 조사.
だ。である
主語が指す対象の属性や部類を指定する意を表す叙述格助詞。

-야 : (두루낮춤으로) 어떤 사실에 대하여 서술하거나 물음을 나타내는 종결 어미.
だよ。なのよ
(略待下称) ある事実について叙述したり質問する意を表す「終結語尾」。<じょじゅつ【叙述】>

최고, 최고, 최고.

최고 (めいし) : 가장 좋거나 뛰어난 것.
さいこう【最高】
最も良いか、優れていもの。

<u>아빠</u>+는 언제나 <u>최고</u>+(이)+야.
　아빤　　　　　　　　최고야

아빠 (めいし) : 격식을 갖추지 않아도 되는 상황에서 아버지를 이르거나 부르는 말.
パパ。おとうちゃん【お父ちゃん】
くだけた場面で父親を指したり呼ぶ語。

는 : 문장 속에서 어떤 대상이 화제임을 나타내는 조사.
は
文の中で、ある対象が話題であることを表す助詞。

언제나 (ふくし) : 어느 때에나. 또는 때에 따라 달라지지 않고 변함없이.
いつも【何時も】。つねに【常に】
どんな時でも。また、どのような時でも変わらず。

최고 (めいし) : 가장 좋거나 뛰어난 것.
さいこう【最高】
最も良いか、優れていもの。

이다 : 주어가 지시하는 대상의 속성이나 부류를 지정하는 뜻을 나타내는 서술격 조사.
だ。である
主語が指す対象の属性や部類を指定する意を表す叙述格助詞。

-야 : (두루낮춤으로) 어떤 사실에 대하여 서술하거나 물음을 나타내는 종결 어미.
だよ。なのよ
(略待下称) ある事実について叙述したり質問する意を表す「終結語尾」。<じょじゅつ【叙述】>

최고, 최고, 아빠 최고.

최고 (めいし) : 가장 좋거나 뛰어난 것.
さいこう【最高】
最も良いか、優れていもの。

아빠 (めいし) : 격식을 갖추지 않아도 되는 상황에서 아버지를 이르거나 부르는 말.
パパ。おとうちゃん【お父ちゃん】
くだけた場面で父親を指したり呼ぶ語。

최고 (めいし) : 가장 좋거나 뛰어난 것.
さいこう【最高】
最も良いか、優れていもの。

엄마 최고, 아빠 최고, 엄마 최고, 아빠 최고.

엄마 (めいし) : 격식을 갖추지 않아도 되는 상황에서 어머니를 이르거나 부르는 말.
ママ。おかあちゃん【お母ちゃん】
くだけた場面で母親を指したり呼ぶ語。

최고 (めいし) : 가장 좋거나 뛰어난 것.
さいこう【最高】
最も良いか、優れていもの。

아빠 (めいし) : 격식을 갖추지 않아도 되는 상황에서 아버지를 이르거나 부르는 말.
パパ。おとうちゃん【お父ちゃん】
くだけた場面で父親を指したり呼ぶ語。

최고 (めいし) : 가장 좋거나 뛰어난 것.
さいこう【最高】
最も良いか、優れていもの。

< 2 절(せつ【節】) >

언니, 햄버거 먹+[고 싶]+어.

언니 (めいし) : 여자가 형제나 친척 형제들 중에서 자기보다 나이가 많은 여자를 이르거나 부르는 말.
おねえさん【お姉さん】。あね【姉】
女の人がきょうだいや親戚のきょうだいのうち、自分より年上の女の人を指したり呼ぶ語。

햄버거 (めいし) : 둥근 빵 사이에 고기와 채소와 치즈 등을 끼운 음식.
ハンバーガー
丸いパンの間に肉や野菜やチーズなどを挟んだもの。

먹다 (どうし) : 음식 등을 입을 통하여 배 속에 들여보내다.
たべる【食べる】。くう【食う・喰う】。くらう【食らう】
食べ物を口の中に入れて飲み込む。

-고 싶다 : 앞의 말이 나타내는 행동을 하기를 원함을 나타내는 표현.
たい
前の言葉の表す行動をしたいという意を表す表現。

-어 : (두루낮춤으로) 어떤 사실을 서술하거나 물음, 명령, 권유를 나타내는 종결 어미.
のか。なさい。よう。ましょう
(略待下称) ある事実を叙述したり、質問・命令・勧誘の意を表す「終結語尾」。<じょじゅつ【叙述】>

오빠, 돈가스 먹+[고 싶]+어.

오빠 (めいし) : 여자가 형제나 친척 형제들 중에서 자기보다 나이가 많은 남자를 이르거나 부르는 말.
おにいさん【お兄さん】。あに【兄】
女の人がきょうだいや親戚のきょうだいのうち、自分より年上の男の人を指したり呼ぶ語。

돈가스 (めいし) : 도톰하게 썬 돼지고기를 양념하여 빵가루를 묻히고 기름에 튀긴 음식.
とんカツ【豚カツ】
やや厚めに切った豚肉に味付けをし、パン粉をつけて油で揚げた食べ物。

먹다 (どうし) : 음식 등을 입을 통하여 배 속에 들여보내다.
たべる【食べる】。くう【食う・喰う】。くらう【食らう】
食べ物を口の中に入れて飲み込む。

-고 싶다 : 앞의 말이 나타내는 행동을 하기를 원함을 나타내는 표현.
たい
前の言葉の表す行動をしたいという意を表す表現。

-어 : (두루낮춤으로) 어떤 사실을 서술하거나 물음, 명령, 권유를 나타내는 종결 어미.
のか。なさい。よう。ましょう
(略待下称) ある事実を叙述したり、質問・命令・勧誘の意を表す「終結語尾」。<じょじゅつ【叙述】>

햄버거 먹+[고 싶]+어.

햄버거 (めいし) : 둥근 빵 사이에 고기와 채소와 치즈 등을 끼운 음식.
ハンバーガー
丸いパンの間に肉や野菜やチーズなどを挟んだもの。

먹다 (どうし) : 음식 등을 입을 통하여 배 속에 들여보내다.
たべる【食べる】。くう【食う・喰う】。くらう【食らう】
食べ物を口の中に入れて飲み込む。

-고 싶다 : 앞의 말이 나타내는 행동을 하기를 원함을 나타내는 표현.
たい
前の言葉の表す行動をしたいという意を表す表現。

-어 : (두루낮춤으로) 어떤 사실을 서술하거나 물음, 명령, 권유를 나타내는 종결 어미.
のか。なさい。よう。ましょう
(略待下称) ある事実を叙述したり、質問・命令・勧誘の意を表す「終結語尾」。<じょじゅつ【叙述】>

돈가스 먹+[고 싶]+어.

돈가스 (めいし) : 도톰하게 썬 돼지고기를 양념하여 빵가루를 묻히고 기름에 튀긴 음식.
とんカツ【豚カツ】
やや厚めに切った豚肉に味付けをし、パン粉をつけて油で揚げた食べ物。

먹다 (どうし) : 음식 등을 입을 통하여 배 속에 들여보내다.
たべる【食べる】。くう【食う・喰う】。くらう【食らう】
食べ物を口の中に入れて飲み込む。

-고 싶다 : 앞의 말이 나타내는 행동을 하기를 원함을 나타내는 표현.
たい
前の言葉の表す行動をしたいという意を表す表現。

-어 : (두루낮춤으로) 어떤 사실을 서술하거나 물음, 명령, 권유를 나타내는 종결 어미.
のか。なさい。よう。ましょう
(略待下称) ある事実を叙述したり、質問・命令・勧誘の意を表す「終結語尾」。<じょじゅつ【叙述】>

시키+[어 주]+어, 시키+[어 주]+어.
시켜 줘   시켜 줘

시키다 (どうし) : 음식이나 술, 음료 등을 주문하다.
ちゅうもんする【注文する】
料理や酒、飲み物などを注文する。

-어 주다 : 남을 위해 앞의 말이 나타내는 행동을 함을 나타내는 표현.
てやる。てあげる。てくれる
他人のために前の言葉の表す行動をするという意を表す表現。

-어 : (두루낮춤으로) 어떤 사실을 서술하거나 물음, 명령, 권유를 나타내는 종결 어미.
のか。なさい。よう。ましょう
(略待下称) ある事実を叙述したり、質問・命令・勧誘の意を表す「終結語尾」。<めいれい【命令】>

전부 시키+[어 주]+어.
시켜 줘

전부 (ふくし) : 빠짐없이 다.
ぜんぶ【全部】。すべて【全て・凡て・総て】。みな【皆】
残らず。

시키다 (どうし) : 음식이나 술, 음료 등을 주문하다.
ちゅうもんする【注文する】
料理や酒、飲み物などを注文する。

-어 주다 : 남을 위해 앞의 말이 나타내는 행동을 함을 나타내는 표현.
てやる。てあげる。てくれる
他人のために前の言葉の表す行動をするという意を表す表現。

-어 : (두루낮춤으로) 어떤 사실을 서술하거나 물음, 명령, 권유를 나타내는 종결 어미.
のか。なさい。よう。ましょう
(略待下称) ある事実を叙述したり、質問・命令・勧誘の意を表す「終結語尾」。<めいれい【命令】>

시키+어, 뭐+든지 시키+어.
시켜   시켜

시키다 (どうし) : 음식이나 술, 음료 등을 주문하다.
ちゅうもんする【注文する】
料理や酒、飲み物などを注文する。

-어 : (두루낮춤으로) 어떤 사실을 서술하거나 물음, 명령, 권유를 나타내는 종결 어미.
のか。なさい。よう。ましょう
(略待下称) ある事実を叙述したり、質問・命令・勧誘の意を表す「終結語尾」。<めいれい【命令】>

뭐 (だいめいし) : 정해지지 않은 대상이나 굳이 이름을 밝힐 필요가 없는 대상을 가리키는 말.
なん・なに【何】
特定でない対象や必ずしも名を明かす必要のない対象を指す語。

든지 : 어느 것이 선택되어도 차이가 없음을 나타내는 조사.
でも。だって
どれが選択されても差がないという意を表す助詞。

시키다 (どうし) : 음식이나 술, 음료 등을 주문하다.
ちゅうもんする【注文する】
料理や酒、飲み物などを注文する。

-어 : (두루낮춤으로) 어떤 사실을 서술하거나 물음, 명령, 권유를 나타내는 종결 어미.
のか。なさい。よう。ましょう
(略待下称) ある事実を叙述したり、質問・命令・勧誘の意を表す「終結語尾」。<めいれい【命令】>

시키+어, 전부 다 시키+어.
시켜   시켜

시키다 (どうし) : 음식이나 술, 음료 등을 주문하다.
ちゅうもんする【注文する】
料理や酒、飲み物などを注文する。

-어 : (두루낮춤으로) 어떤 사실을 서술하거나 물음, 명령, 권유를 나타내는 종결 어미.
のか。なさい。よう。ましょう
(略待下称) ある事実を叙述したり、質問・命令・勧誘の意を表す「終結語尾」。<めいれい【命令】>

전부 (ふくし) : 빠짐없이 다.
ぜんぶ【全部】。すべて【全て・凡て・総て】。みな【皆】
残らず。

다 (ふくし) : 남거나 빠진 것이 없이 모두.
ぜんぶ【全部】。すべて【全て】。みな【皆】。のこらず【残らず】。もれなく
残ったり、漏れたものがなく、全て。

시키다 (どうし) : 음식이나 술, 음료 등을 주문하다.
ちゅうもんする【注文する】
料理や酒、飲み物などを注文する。

-어 : (두루낮춤으로) 어떤 사실을 서술하거나 물음, 명령, 권유를 나타내는 종결 어미.
のか。なさい。よう。ましょう
(略待下称) ある事実を叙述したり、質問・命令・勧誘の意を表す「終結語尾」。<めいれい【命令】>

먹+[고 싶]+[은 거], 맛보+[고 싶]+[은 거] 전부 다 시키+어.
시켜

먹다 (どうし) : 음식 등을 입을 통하여 배 속에 들여보내다.
たべる【食べる】。くう【食う・喰う】。くらう【食らう】
食べ物を口の中に入れて飲み込む。

-고 싶다 : 앞의 말이 나타내는 행동을 하기를 원함을 나타내는 표현.
たい
前の言葉の表す行動をしたいという意を表す表現。

-은 거 : 명사가 아닌 것을 문장에서 명사처럼 쓰이게 하거나 '이다' 앞에 쓰일 수 있게 할 때 쓰는 표현.
こと。の。もの
名詞でないものを文中で名詞化し、「이다」の前にくるようにするのに用いる表現。

맛보다 (どうし) : 음식의 맛을 알기 위해 먹어 보다.
あじわう【味わう】。あじみする【味見する】
食べ物の味をみるために食べてみる。

-고 싶다 : 앞의 말이 나타내는 행동을 하기를 원함을 나타내는 표현.
たい
前の言葉の表す行動をしたいという意を表す表現。

-은 거 : 명사가 아닌 것을 문장에서 명사처럼 쓰이게 하거나 '이다' 앞에 쓰일 수 있게 할 때 쓰는 표현.
こと。の。もの
名詞でないものを文中で名詞化し、「이다」の前にくるようにするのに用いる表現。

전부 (ふくし) : 빠짐없이 다.
ぜんぶ【全部】。すべて【全て・凡て・総て】。みな【皆】
残らず。

다 (ふくし) : 남거나 빠진 것이 없이 모두.
ぜんぶ【全部】。すべて【全て】。みな【皆】。のこらず【残らず】。もれなく
残ったり、漏れたものがなく、全て。

시키다 (どうし) : 음식이나 술, 음료 등을 주문하다.
ちゅうもんする【注文する】
料理や酒、飲み物などを注文する。

-어 : (두루낮춤으로) 어떤 사실을 서술하거나 물음, 명령, 권유를 나타내는 종결 어미.
のか。なさい。よう。ましょう
(略待下称) ある事実を叙述したり、質問・命令・勧誘の意を表す「終結語尾」。<めいれい【命令】>

초밥+도, 짜장면+도, 짬뽕+도, 탕수육+도.

초밥 (めいし) : 식초와 소금으로 간을 하여 작게 뭉친 흰밥에 생선을 얹거나 김, 유부 등으로 싸서 만든 일본 음식.
すし【鮨・寿司】
酢と塩で調味して小さく握った白いご飯に魚を載せたり、
ご飯を海苔や油揚げなどで包んで作った日本料理。

도 : 둘 이상의 것을 나열함을 나타내는 조사.
も
二つ以上の物事を羅列するのに用いる助詞。

짜장면 (めいし) : 중국식 된장에 고기와 채소 등을 넣어 볶은 양념에 면을 비벼 먹는 음식.
ジャージャーめん【ジャージャー麺・炸醤麺】
中華風の豆味噌に肉や野菜などを入れて炒めたソースをゆでた麺にかけて混ぜて食べる料理。

도 : 둘 이상의 것을 나열함을 나타내는 조사.
も
二つ以上の物事を羅列するのに用いる助詞。

짬뽕 (めいし) : 여러 가지 해물과 야채를 볶고 매콤한 국물을 부어 만든 중국식 국수.
チャンポン
色々な魚介類や野菜を炒めて辛いスープを入れて作った中華風そば。

도 : 둘 이상의 것을 나열함을 나타내는 조사.
も
二つ以上の物事を羅列するのに用いる助詞。

탕수육 (めいし) : 튀김옷을 입혀 튀긴 고기에 식초, 간장, 설탕, 채소 등을 넣고 끓인 녹말 물을 부어 만든 중국요리.
すぶた【酢豚】
衣を被せて揚げた豚肉に、
酢・カンジャン・砂糖・野菜などを合わせて沸かしたあんをかけて作った中華料理。

도 : 둘 이상의 것을 나열함을 나타내는 조사.
も
二つ以上の物事を羅列するのに用いる助詞。

떡볶이+도, 순대+도, 김밥+도, 냉면+도.

떡볶이 (めいし) : 적당히 자른 가래떡에 간장이나 고추장 등의 양념과 여러 가지 채소를 넣고 볶은 음식.
トッポッキ
棒状にしたカレトクを適当な長さに切ったものにカンジャンやユチュジャンなどの薬味を加えて色々な野菜と共に炒めた料理。

도 : 둘 이상의 것을 나열함을 나타내는 조사.
も
二つ以上の物事を羅列するのに用いる助詞。

순대 (めいし) : 당면, 두부, 찹쌀 등을 양념하여 돼지의 창자 속에 넣고 찐 음식.
スンデ
豚の腸詰め：春雨や豆腐、もち米などに味付けして豚の腸に入れた後、蒸して作った食べ物。

도 : 둘 이상의 것을 나열함을 나타내는 조사.
も
二つ以上の物事を羅列するのに用いる助詞。

김밥 (めいし) : 밥과 여러 가지 반찬을 김으로 말아 싸서 썰어 먹는 음식.
のりまき【海苔巻き】
ご飯と様々なおかずをのりで巻いて切って食べる食べ物。

도 : 둘 이상의 것을 나열함을 나타내는 조사.
も
二つ以上の物事を羅列するのに用いる助詞。

냉면 (めいし) : 국수를 냉국이나 김칫국 등에 말거나 고추장 양념에 비벼서 먹는 음식.
れいめん【冷麵】
腰の強い麺に冷製スープまたはキムチククなどをかけたり、ユチュジャンで混ぜたりして食べる料理。

도 : 둘 이상의 것을 나열함을 나타내는 조사.
も
二つ以上の物事を羅列するのに用いる助詞。

시키+어, 시키+어, 뭐+든지 시키+어.
시켜   시켜   시켜

시키다 (どうし) : 음식이나 술, 음료 등을 주문하다.
ちゅうもんする【注文する】
料理や酒、飲み物などを注文する。

-어 : (두루낮춤으로) 어떤 사실을 서술하거나 물음, 명령, 권유를 나타내는 종결 어미.
のか。なさい。よう。ましょう
(略待下称) ある事実を叙述したり、質問・命令・勧誘の意を表す「終結語尾」。<めいれい【命令】>

뭐 (だいめいし) : 정해지지 않은 대상이나 굳이 이름을 밝힐 필요가 없는 대상을 가리키는 말.
なん・なに【何】
特定でない対象や必ずしも名を明かす必要のない対象を指す語。

든지 : 어느 것이 선택되어도 차이가 없음을 나타내는 조사.
でも。だって
どれが選択されても差がないという意を表す助詞。

시키다 (どうし) : 음식이나 술, 음료 등을 주문하다.
ちゅうもんする【注文する】
料理や酒、飲み物などを注文する。

-어 : (두루낮춤으로) 어떤 사실을 서술하거나 물음, 명령, 권유를 나타내는 종결 어미.
のか。なさい。よう。ましょう
(略待下称) ある事実を叙述したり、質問・命令・勧誘の意を表す「終結語尾」。<めいれい【命令】>

먹+[고 싶]+[은 거] 다 시키+어.
시켜

먹다 (どうし) : 음식 등을 입을 통하여 배 속에 들여보내다.
たべる【食べる】。くう【食う・喰う】。くらう【食らう】
食べ物を口の中に入れて飲み込む。

-고 싶다 : 앞의 말이 나타내는 행동을 하기를 원함을 나타내는 표현.
たい
前の言葉の表す行動をしたいという意を表す表現。

-은 거 : 명사가 아닌 것을 문장에서 명사처럼 쓰이게 하거나 '이다' 앞에 쓰일 수 있게 할 때 쓰는 표현.
こと。の。もの
名詞でないものを文中で名詞化し、「いだ」の前にくるようにするのに用いる表現。

다 (ふくし) : 남거나 빠진 것이 없이 모두.
ぜんぶ【全部】。すべて【全て】。みな【皆】。のこらず【残らず】。もれなく
残ったり、漏れたものがなく、全て。

시키다 (どうし) : 음식이나 술, 음료 등을 주문하다.
ちゅうもんする【注文する】
料理や酒、飲み物などを注文する。

-어 : (두루낮춤으로) 어떤 사실을 서술하거나 물음, 명령, 권유를 나타내는 종결 어미.
のか。なさい。よう。ましょう
(略待下称) ある事実を叙述したり、質問・命令・勧誘の意を表す「終結語尾」。<めいれい【命令】>

뭐+든지 다 시키+[어 주]+ㄹ게.
시켜 줄게

뭐 (だいめいし) : 정해지지 않은 대상이나 굳이 이름을 밝힐 필요가 없는 대상을 가리키는 말.
なん・なに【何】
特定でない対象や必ずしも名を明かす必要のない対象を指す語。

든지 : 어느 것이 선택되어도 차이가 없음을 나타내는 조사.
でも。だって
どれが選択されても差がないという意を表す助詞。

다 (ふくし) : 남거나 빠진 것이 없이 모두.
ぜんぶ【全部】。すべて【全て】。みな【皆】。のこらず【残らず】。もれなく
残ったり、漏れたものがなく、全て。

시키다 (どうし) : 음식이나 술, 음료 등을 주문하다.
ちゅうもんする【注文する】
料理や酒、飲み物などを注文する。

-어 주다 : 남을 위해 앞의 말이 나타내는 행동을 함을 나타내는 표현.
てやる。てあげる。てくれる
他人のために前の言葉の表す行動をするという意を表す表現。

-ㄹ게 : (두루낮춤으로) 말하는 사람이 어떤 행동을 할 것을 듣는 사람에게 약속하거나 의지를 나타내는 종결 어미.
よ。からね
(略待下称) 話し手がある行動をすることを話し手が聞き手に約束したり、
その意志を表明する意を表す「終結語尾」。

전부 다 시키+[어 주]+ㄹ게.
시켜 줄게

전부 (ふくし) : 빠짐없이 다.
ぜんぶ【全部】。すべて【全て・凡て・総て】。みな【皆】
残らず。

다 (ふくし) : 남거나 빠진 것이 없이 모두.
ぜんぶ【全部】。すべて【全て】。みな【皆】。のこらず【残らず】。もれなく
残ったり、漏れたものがなく、全て。

시키다 (どうし) : 음식이나 술, 음료 등을 주문하다.
ちゅうもんする【注文する】
料理や酒、飲み物などを注文する。

-어 주다 : 남을 위해 앞의 말이 나타내는 행동을 함을 나타내는 표현.
てやる。てあげる。てくれる
他人のために前の言葉の表す行動をするという意を表す表現。

-ㄹ게 : (두루낮춤으로) 말하는 사람이 어떤 행동을 할 것을 듣는 사람에게 약속하거나 의지를 나타내는
　　　　종결 어미.
よ。からね
(略待下称) 話し手がある行動をすることを話し手が聞き手に約束したり、
その意志を表明する意を表す「終結語尾」。

언니+는 언제나 최고+(이)+야.
언닌　　　　　최고야

언니 (めいし) : 여자가 형제나 친척 형제들 중에서 자기보다 나이가 많은 여자를 이르거나 부르는 말.
おねえさん【お姉さん】。あね【姉】
女の人がきょうだいや親戚のきょうだいのうち、自分より年上の女の人を指したり呼ぶ語。

는 : 문장 속에서 어떤 대상이 화제임을 나타내는 조사.
は
文の中で、ある対象が話題であることを表す助詞。

언제나 (ふくし) : 어느 때에나. 또는 때에 따라 달라지지 않고 변함없이.
いつも【何時も】。つねに【常に】
どんな時でも。また、どのような時でも変わらず。

최고 (めいし) : 가장 좋거나 뛰어난 것.
さいこう【最高】
最も良いか、優れていもの。

이다 : 주어가 지시하는 대상의 속성이나 부류를 지정하는 뜻을 나타내는 서술격 조사.
だ。である
主語が指す対象の属性や部類を指定する意を表す叙述格助詞。

-야 : (두루낮춤으로) 어떤 사실에 대하여 서술하거나 물음을 나타내는 종결 어미.
だよ。 なのよ
(略待下称) ある事実について叙述したり質問する意を表す「終結語尾」。<じょじゅつ【叙述】>

최고, 최고, 최고.

최고 (めいし) : 가장 좋거나 뛰어난 것.
さいこう【最高】
最も良いか、優れていもの。

<u>오빠</u>+는 언제나 <u>최고</u>+(이)+야.
　오빤　　　　　　　　최고야

오빠 (めいし) : 여자가 형제나 친척 형제들 중에서 자기보다 나이가 많은 남자를 이르거나 부르는 말.
おにいさん【お兄さん】。 あに【兄】
女の人がきょうだいや親戚のきょうだいのうち、自分より年上の男の人を指したり呼ぶ語。

는 : 문장 속에서 어떤 대상이 화제임을 나타내는 조사.
は
文の中で、ある対象が話題であることを表す助詞。

언제나 (ふくし) : 어느 때에나. 또는 때에 따라 달라지지 않고 변함없이.
いつも【何時も】。 つねに【常に】
どんな時でも。 また、どのような時でも変わらず。

최고 (めいし) : 가장 좋거나 뛰어난 것.
さいこう【最高】
最も良いか、優れていもの。

이다 : 주어가 지시하는 대상의 속성이나 부류를 지정하는 뜻을 나타내는 서술격 조사.
だ。 である
主語が指す対象の属性や部類を指定する意を表す叙述格助詞。

-야 : (두루낮춤으로) 어떤 사실에 대하여 서술하거나 물음을 나타내는 종결 어미.
だよ。 なのよ
(略待下称) ある事実について叙述したり質問する意を表す「終結語尾」。<じょじゅつ【叙述】>

최고, 최고, 오빠 최고.

최고 (めいし) : 가장 좋거나 뛰어난 것.
さいこう【最高】
最も良いか、優れていもの。

오빠 (めいし) : 여자가 형제나 친척 형제들 중에서 자기보다 나이가 많은 남자를 이르거나 부르는 말.
おにいさん【お兄さん】。あに【兄】
女の人がきょうだいや親戚のきょうだいのうち、自分より年上の男の人を指したり呼ぶ語。

최고 (めいし) : 가장 좋거나 뛰어난 것.
さいこう【最高】
最も良いか、優れていもの。

엄마+가 최고+(이)+야, 엄마 최고.
　　　　　최고야

엄마 (めいし) : 격식을 갖추지 않아도 되는 상황에서 어머니를 이르거나 부르는 말.
ママ。おかあちゃん【お母ちゃん】
くだけた場面で母親を指したり呼ぶ語。

가 : 어떤 상태나 상황에 놓인 대상이나 동작의 주체를 나타내는 조사.
が
ある状態や状況に置かれた対象、または動作の主体を表す助詞。

최고 (めいし) : 가장 좋거나 뛰어난 것.
さいこう【最高】
最も良いか、優れていもの。

이다 : 주어가 지시하는 대상의 속성이나 부류를 지정하는 뜻을 나타내는 서술격 조사.
だ。である
主語が指す対象の属性や部類を指定する意を表す叙述格助詞。

-야 : (두루낮춤으로) 어떤 사실에 대하여 서술하거나 물음을 나타내는 종결 어미.
だよ。なのよ
(略待下称) ある事実について叙述したり質問する意を表す「終結語尾」。<じょじゅつ【叙述】>

엄마 (めいし) : 격식을 갖추지 않아도 되는 상황에서 어머니를 이르거나 부르는 말.
ママ。おかあちゃん【お母ちゃん】
くだけた場面で母親を指したり呼ぶ語。

최고 (めいし) : 가장 좋거나 뛰어난 것.
さいこう【最高】
最も良いか、優れていもの。

아빠+가 <u>최고+(이)+야</u>, 아빠 최고.
최고야

아빠 (めいし) : 격식을 갖추지 않아도 되는 상황에서 아버지를 이르거나 부르는 말.
パパ。おとうちゃん【お父ちゃん】
くだけた場面で父親を指したり呼ぶ語。

가 : 어떤 상태나 상황에 놓인 대상이나 동작의 주체를 나타내는 조사.
が
ある状態や状況に置かれた対象、または動作の主体を表す助詞。

최고 (めいし) : 가장 좋거나 뛰어난 것.
さいこう【最高】
最も良いか、優れていもの。

이다 : 주어가 지시하는 대상의 속성이나 부류를 지정하는 뜻을 나타내는 서술격 조사.
だ。である
主語が指す対象の属性や部類を指定する意を表す叙述格助詞。

-야 : (두루낮춤으로) 어떤 사실에 대하여 서술하거나 물음을 나타내는 종결 어미.
だよ。なのよ
(略待下称) ある事実について叙述したり質問する意を表す「終結語尾」。<じょじゅつ【叙述】>

아빠 (めいし) : 격식을 갖추지 않아도 되는 상황에서 아버지를 이르거나 부르는 말.
パパ。おとうちゃん【お父ちゃん】
くだけた場面で父親を指したり呼ぶ語。

최고 (めいし) : 가장 좋거나 뛰어난 것.
さいこう【最高】
最も良いか、優れていもの。

최고, 최고, 언니 최고.

최고 (めいし) : 가장 좋거나 뛰어난 것.
さいこう【最高】
最も良いか、優れていもの。

언니 (めいし) : 여자가 형제나 친척 형제들 중에서 자기보다 나이가 많은 여자를 이르거나 부르는 말.
おねえさん【お姉さん】。あね【姉】
女の人がきょうだいや親戚のきょうだいのうち、自分より年上の女の人を指したり呼ぶ語。

최고 (めいし) : 가장 좋거나 뛰어난 것.
さいこう【最高】
最も良いか、優れていもの。

오빠+가 최고+(이)+야, 오빠 최고.
최고야

오빠 (めいし) : 여자가 형제나 친척 형제들 중에서 자기보다 나이가 많은 남자를 이르거나 부르는 말.
おにいさん【お兄さん】。あに【兄】
女の人がきょうだいや親戚のきょうだいのうち、自分より年上の男の人を指したり呼ぶ語。

가 : 어떤 상태나 상황에 놓인 대상이나 동작의 주체를 나타내는 조사.
が
ある状態や状況に置かれた対象、または動作の主体を表す助詞。

최고 (めいし) : 가장 좋거나 뛰어난 것.
さいこう【最高】
最も良いか、優れていもの。

이다 : 주어가 지시하는 대상의 속성이나 부류를 지정하는 뜻을 나타내는 서술격 조사.
だ。である
主語が指す対象の属性や部類を指定する意を表す叙述格助詞。

-야 : (두루낮춤으로) 어떤 사실에 대하여 서술하거나 물음을 나타내는 종결 어미.
だよ。なのよ
(略待下称) ある事実について叙述したり質問する意を表す「終結語尾」。<じょじゅつ【叙述】>

오빠 (めいし) : 여자가 형제나 친척 형제들 중에서 자기보다 나이가 많은 남자를 이르거나 부르는 말.
おにいさん【お兄さん】。あに【兄】
女の人がきょうだいや親戚のきょうだいのうち、自分より年上の男の人を指したり呼ぶ語。

최고 (めいし) : 가장 좋거나 뛰어난 것.
さいこう【最高】
最も良いか、優れていもの。

< 9 >

어쩌라고?

나한테 어떻게 하라고?
(どうすればいいですか？)

[발음(はつおん【発音】)]

< 1 절(せつ【節】) >

가라고, 가라고, 가라고.
가라고, 가라고, 가라고.
garago, garago, garago.

보기 싫으니까 가라고, 가라고.
보기 시르니까 가라고, 가라고.
bogi sireunikka garago, garago.

알았어.
아라써.
arasseo.

나 갈게.
나 갈게.
na galge.

가란다고 진짜 가.
가란다고 진짜 가.
garandago jinjja ga.

알았어.
아라써.
arasseo.

안 갈게.
안 갈께.
an galge.

가라는데 왜 안 가?
가라는데 왜 안 가?
garaneunde wae an ga?

알았어.
아라써.
arasseo.

가면 되지.
가면 되지.
gamyeon doeji.

가라고 하면 안 가야지.
가라고 하면 안 가야지.
garago hamyeon an gayaji.

짜증 나, 짜증 나, 짜증 나.
짜증 나, 짜증 나, 짜증 나.
jjajeung na, jjajeung na, jjajeung na.

어쩌라고? 어쩌라고? 어쩌라고? 어쩌라고?
어쩌라고? 어쩌라고? 어쩌라고? 어쩌라고?
eojjeorago? eojjeorago? eojjeorago? eojjeorago?

도대체 나보고 어쩌라고?
도대체 나보고 어쩌라고?
dodaeche nabogo eojjeorago?

도대체 나보고 어쩌라고?
도대체 나보고 어쩌라고?
dodaeche nabogo eojjeorago?

도대체 나보고 어쩌라고?
도대체 나보고 어쩌라고?
dodaeche nabogo eojjeorago?

어쩌라고?
어쩌라고?
eojjeorago?

< 2 절(せつ【節】) >

왜 안 가?
왜 안 가?
wae an ga?

왜 안 가?
왜 안 가?
wae an ga?

왜 안 가?
왜 안 가?
wae an ga?

가라는데 왜 안 가?
가라는데 왜 안 가?
garaneunde wae an ga?

왜 안 가?
왜 안 가?
wae an ga?

알았어.
아라써.
arasseo.

가면 되지.
가면 되지.
gamyeon doeji.

가란다고 진짜 가.
가란다고 진짜 가.
garandago jinjja ga.

가라는데 왜 안 가?
가라는데 왜 안 가?
garaneunde wae an ga?

가도 화내.
가도 화내.
gado hwanae.

안 가도 화내.
안 가도 화내.
an gado hwanae.

짜증 나, 짜증 나, 짜증 나.
짜증 나, 짜증 나, 짜증 나.
jjajeung na, jjajeung na, jjajeung na.

어쩌라고? 어쩌라고? 어쩌라고? 어쩌라고?
어쩌라고? 어쩌라고? 어쩌라고? 어쩌라고?
eojjeorago? eojjeorago? eojjeorago? eojjeorago?

도대체 나보고 어쩌라고?
도대체 나보고 어쩌라고?
dodaeche nabogo eojjeorago?

도대체 나보고 어쩌라고?
도대체 나보고 어쩌라고?
dodaeche nabogo eojjeorago?

도대체 나보고 어쩌라고?
도대체 나보고 어쩌라고?
dodaeche nabogo eojjeorago?

어쩌라고?
어쩌라고?
eojjeorago?

가라고, 가라고, 가라고.
가라고, 가라고, 가라고.
garago, garago, garago.

보기 싫으니까 가라고, 가라고.
보기 시르니까 가라고, 가라고.
bogi sireunikka garago, garago.

알았어.
아라써
arasseo.

나 갈게.
나 갈께
na galge.

어쩌라고?
어쩌라고?
eojjeorago?

< 1 절(せつ【節】) >

가+라고, 가+라고, 가+라고.

가다 (どうし) : 한 곳에서 다른 곳으로 장소를 이동하다.
ゆく・いく【行く】。うつる【移る】
ある場所から他の場所へ移動する。

-라고 : (두루낮춤으로) 말하는 사람의 생각이나 주장을 듣는 사람에게 강조하여 말함을 나타내는 종결 어미.
って。だってば
(略待下称) 話し手の考えや主張を聞き手に強調して述べる意を表す「終結語尾」。

보+기 싫+으니까 가+라고, 가+라고.

보다 (どうし) : 눈으로 대상의 존재나 겉모습을 알다.
みる【見る】。ながめる【眺める】
目で対象の存在や外見を知る。

-기 : 앞의 말이 명사의 기능을 하게 하는 어미.
こと
前の言葉を名詞化する語尾。

싫다 (けいようし) : 어떤 일을 하고 싶지 않다.
いやだ【嫌だ】。きがむかない【気が向かない】
やりたくない。

-으니까 : 뒤에 오는 말에 대하여 앞에 오는 말이 원인이나 근거, 전제가 됨을 강조하여 나타내는 연결 어미.
から。ので。ため。ゆえ【故】
後にくる事柄に対して前の事柄がその原因や根拠・前提になることを強調していう「連結語尾」。

가다 (どうし) : 한 곳에서 다른 곳으로 장소를 이동하다.
ゆく・いく【行く】。うつる【移る】
ある場所から他の場所へ移動する。

-라고 : (두루낮춤으로) 말하는 사람의 생각이나 주장을 듣는 사람에게 강조하여 말함을 나타내는 종결 어미.
って。だってば
(略待下称) 話し手の考えや主張を聞き手に強調して述べる意を表す「終結語尾」。

알+았+어.

알다 (どうし) : 상대방의 어떤 명령이나 요청에 대해 그대로 하겠다는 동의의 뜻을 나타내는 말.
わかる【分かる】。かしこまる。うけたまわる【承る】
相手の命令や要請に対し、その通りにするという同意を表す語。

-았- : 어떤 사건이 과거에 완료되었거나 그 사건의 결과가 현재까지 지속되는 상황을 나타내는 어미.
た。ている
ある出来事が過去に完了したことや、その出来事の結果が現在まで持続している状況を表す語尾。

-어 : (두루낮춤으로) 어떤 사실을 서술하거나 물음, 명령, 권유를 나타내는 종결 어미.
のか。なさい。よう。ましょう
(略待下称) ある事実を叙述したり、質問・命令・勧誘の意を表す「終結語尾」。<じょじゅつ【叙述】>

나 가+ㄹ게.
갈게

나 (だいめいし) : 말하는 사람이 친구나 아랫사람에게 자기를 가리키는 말.
わたし【私】。ぼく【僕】。おれ【俺】。じぶん【自分】
話し手が友人や目下の人に対し、自分をさす語。

가다 (どうし) : 한 곳에서 다른 곳으로 장소를 이동하다.
ゆく・いく【行く】。うつる【移る】
ある場所から他の場所へ移動する。

-ㄹ게 : (두루낮춤으로) 말하는 사람이 어떤 행동을 할 것을 듣는 사람에게 약속하거나 의지를 나타내는 종결 어미.
よ。からね
(略待下称) 話し手がある行動をすることを話し手が聞き手に約束したり、
その意志を表明する意を表す「終結語尾」。

가+라고 하+ㄴ다고 진짜 가+(아).
가란다고   가

가다 (どうし) : 한 곳에서 다른 곳으로 장소를 이동하다.
ゆく・いく【行く】。うつる【移る】
ある場所から他の場所へ移動する。

-라고 : 다른 사람에게서 들은 내용을 간접적으로 전달하거나 주어의 생각, 의견 등을 나타내는 표현.
と
他人から聞いた話の内容を間接的に伝えたり主語の考えや意見などを述べるという意を表す表現。

하다 (どうし) : 무엇에 대해 말하다.
する【為る】
何かについて言う。

-ㄴ다고 : 어떤 행위의 목적, 의도를 나타내거나 어떤 상황의 이유, 원인을 나타내는 연결 어미.
ために。ため
ある行為の目的・意図を表したり、ある状況の理由・原因を表す「連結語尾」。

진짜 (ふくし) : 꾸밈이나 거짓이 없이 참으로.
ほんとうに【本当に】
飾り気や偽りがなく実際に。

가다 (どうし) : 한 곳에서 다른 곳으로 장소를 이동하다.
ゆく・いく【行く】。うつる【移る】
ある場所から他の場所へ移動する。

-아 : (두루낮춤으로) 어떤 사실을 서술하거나 물음, 명령, 권유를 나타내는 종결 어미.
する。である。するのか。しなさい。しよう。しましょう
(略待下称) ある事実を叙述したり質問・命令・勧誘の意を表す「終結語尾」。<じょじゅつ【叙述】>

알+았+어.

알다 (どうし) : 상대방의 어떤 명령이나 요청에 대해 그대로 하겠다는 동의의 뜻을 나타내는 말.
わかる【分かる】。かしこまる。うけたまわる【承る】
相手の命令や要請に対し、その通りにするという同意を表す語。

-았- : 어떤 사건이 과거에 완료되었거나 그 사건의 결과가 현재까지 지속되는 상황을 나타내는 어미.
た。ている
ある出来事が過去に完了したことや、その出来事の結果が現在まで持続している状況を表す語尾。

-어 : (두루낮춤으로) 어떤 사실을 서술하거나 물음, 명령, 권유를 나타내는 종결 어미.

のか。 なさい。 よう。 ましょう

(略待下称) ある事実を叙述したり、質問・命令・勧誘の意を表す「終結語尾」。 <じょじゅつ【叙述】>

안 가+ㄹ게.
갈게

안 (ふくし) : 부정이나 반대의 뜻을 나타내는 말.

対訳語無し

否定や反対の意を表す語。

가다 (どうし) : 한 곳에서 다른 곳으로 장소를 이동하다.

ゆく・いく【行く】。 うつる【移る】

ある場所から他の場所へ移動する。

-ㄹ게 : (두루낮춤으로) 말하는 사람이 어떤 행동을 할 것을 듣는 사람에게 약속하거나 의지를 나타내는
　　　　종결 어미.

よ。 からね

(略待下称) 話し手がある行動をすることを話し手が聞き手に約束したり、

その意志を表明する意を表す「終結語尾」。

가+라는데 왜 안 가+(아)?
가

가다 (どうし) : 한 곳에서 다른 곳으로 장소를 이동하다.

ゆく・いく【行く】。 うつる【移る】

ある場所から他の場所へ移動する。

-라는데 : 명령이나 요청 등의 말을 전달하며 자신의 말을 이어 나타내는 표현.

しろといっているけど【しろと言っているけど】。 しろといっているが【しろと言っているが】

命令や要請などの言葉を伝えながら自分の言葉を続けて述べるのに用いる表現。

왜 (ふくし) : 무슨 이유로. 또는 어째서.

なぜ【何故】。 どうして。 なんで【何で】

どういう理由で。 また、何ゆえ。

안 (ふくし) : 부정이나 반대의 뜻을 나타내는 말.

対訳語無し

否定や反対の意を表す語。

가다 (どうし) : 한 곳에서 다른 곳으로 장소를 이동하다.
ゆく・いく【行く】。うつる【移る】
ある場所から他の場所へ移動する。

-아 : (두루낮춤으로) 어떤 사실을 서술하거나 물음, 명령, 권유를 나타내는 종결 어미.
する。である。するのか。しなさい。しよう。しましょう
(略待下称) ある事実を叙述したり質問・命令・勧誘の意を表す「終結語尾」。<しつもん【質問】>

알+았+어.

알다 (どうし) : 상대방의 어떤 명령이나 요청에 대해 그대로 하겠다는 동의의 뜻을 나타내는 말.
わかる【分かる】。かしこまる。うけたまわる【承る】
相手の命令や要請に対し、その通りにするという同意を表す語。

-았- : 어떤 사건이 과거에 완료되었거나 그 사건의 결과가 현재까지 지속되는 상황을 나타내는 어미.
た。ている
ある出来事が過去に完了したことや、その出来事の結果が現在まで持続している状況を表す語尾。

-어 : (두루낮춤으로) 어떤 사실을 서술하거나 물음, 명령, 권유를 나타내는 종결 어미.
のか。なさい。よう。ましょう
(略待下称) ある事実を叙述したり、質問・命令・勧誘の意を表す「終結語尾」。<じょじゅつ【叙述】>

가+[면 되]+지.

가다 (どうし) : 한 곳에서 다른 곳으로 장소를 이동하다.
ゆく・いく【行く】。うつる【移る】
ある場所から他の場所へ移動する。

-면 되다 : 조건이 되는 어떤 행동을 하거나 어떤 상태만 갖추어지면 문제가 없거나 충분함을 나타내는 표현.
ばいい。といい
条件になるある行動をするかある状態さえそろえば何も問題ない、
あるいはそれで十分であるという意を表す表現。

-지 : (두루낮춤으로) 말하는 사람이 자신에 대한 이야기나 자신의 생각을 친근하게 말할 때 쓰는 종결 어미.
よ。だろう
(略待下称) 話し手が自分に関する話や自分の考えを親しみをこめて述べるのに用いる「終結語尾」。

가+라고 하+면 안 <u>가</u>+(아)야지.
가야지

가다 (どうし) : 한 곳에서 다른 곳으로 장소를 이동하다.
ゆく・いく【行く】。うつる【移る】
ある場所から他の場所へ移動する。

-라고 : 다른 사람에게서 들은 내용을 간접적으로 전달하거나 주어의 생각, 의견 등을 나타내는 표현.
と
他人から聞いた話の内容を間接的に伝えたり主語の考えや意見などを述べるという意を表す表現。

하다 (どうし) : 무엇에 대해 말하다.
する【為る】
何かについて言う。

-면 : 뒤에 오는 말에 대한 근거나 조건이 됨을 나타내는 연결 어미.
たら。なら。というなら
後にくる事柄に対する根拠や条件になるという意を表す「連結語尾」。

안 (ふくし) : 부정이나 반대의 뜻을 나타내는 말.
対訳語無し
否定や反対の意を表す語。

가다 (どうし) : 한 곳에서 다른 곳으로 장소를 이동하다.
ゆく・いく【行く】。うつる【移る】
ある場所から他の場所へ移動する。

-아야지 : (두루낮춤으로) 듣는 사람이나 다른 사람이 어떤 일을 해야 하거나 어떤 상태여야 함을 나타내
는 종결 어미.
ないと。なきゃ。すべきだ
(略待下称) 聞き手や他の人がある行動をしないといけないか、
ある状態でないといけないという意を表す「終結語尾」。

짜증 <u>나</u>+(아), 짜증 <u>나</u>+(아), 짜증 <u>나</u>+(아).
나　　나　　나

짜증 (めいし) : 마음에 들지 않아서 화를 내거나 싫은 느낌을 겉으로 드러내는 일. 또는 그런 성미.
かんしゃく【癇癪】。いらだち【苛立ち】
気に入らなくて腹を立てたり嫌な気分を表現すること。また、そのような性格。

나다 (どうし)：어떤 감정이나 느낌이 생기다.
うまれる【生まれる】。おこる【起こる】
ある感情や感じが生じる。

-아 : (두루낮춤으로) 어떤 사실을 서술하거나 물음, 명령, 권유를 나타내는 종결 어미.
する。である。するのか。しなさい。しよう。しましょう
(略待下称) ある事実を叙述したり質問・命令・勧誘の意を表す「終結語尾」。<じょじゅつ【叙述】>

어쩌+라고? 어쩌+라고? 어쩌+라고? 어쩌+라고?

어쩌다 (どうし)：무엇을 어떻게 하다.
どうする
何をどうにかする。

-라고 : (두루낮춤으로) 들은 사실을 되물으면서 확인함을 나타내는 종결 어미.
って。だと。だって
(略待下称) 聞いた事実を聞き返しながら確認する意を表す「終結語尾」。

도대체 나+보고 어쩌+라고?

도대체 (ふくし)：아주 궁금해서 묻는 말인데.
いったい【一体】
本当に知りたくて尋ねるのですが。

나 (だいめいし)：말하는 사람이 친구나 아랫사람에게 자기를 가리키는 말.
わたし【私】。ぼく【僕】。おれ【俺】。じぶん【自分】
話し手が友人や目下の人に対し、自分をさす語。

보고 : 어떤 행동이 미치는 대상임을 나타내는 조사.
に。にむかって【に向かって】
ある行動の及ぶ対象であるという意を表す助詞。

어쩌다 (どうし)：무엇을 어떻게 하다.
どうする
何をどうにかする。

-라고 : (두루낮춤으로) 들은 사실을 되물으면서 확인함을 나타내는 종결 어미.
って。だと。だって
(略待下称) 聞いた事実を聞き返しながら確認する意を表す「終結語尾」。

어쩌+라고?

어쩌다 (どうし) : 무엇을 어떻게 하다.
どうする
何をどうにかする。

-라고 : (두루낮춤으로) 들은 사실을 되물으면서 확인함을 나타내는 종결 어미.
って。だと。だって
(略待下称) 聞いた事実を聞き返しながら確認する意を表す「終結語尾」。

< 2 절(せつ【節】) >

왜 안 가+(아)? 왜 안 가+(아)? 왜 안 가+(아)?
        가   가   가

왜 (ふくし) : 무슨 이유로. 또는 어째서.
なぜ【何故】。どうして。なんで【何で】
どういう理由で。また、何ゆえ。

안 (ふくし) : 부정이나 반대의 뜻을 나타내는 말.
対訳語無し
否定や反対の意を表す語。

가다 (どうし) : 한 곳에서 다른 곳으로 장소를 이동하다.
ゆく・いく【行く】。うつる【移る】
ある場所から他の場所へ移動する。

-아 : (두루낮춤으로) 어떤 사실을 서술하거나 물음, 명령, 권유를 나타내는 종결 어미.
する。である。するのか。しなさい。しよう。しましょう
(略待下称) ある事実を叙述したり質問・命令・勧誘の意を表す「終結語尾」。<しつもん【質問】>

가+라는데 왜 안 <u>가+(아)</u>?
가

가다 (どうし) : 한 곳에서 다른 곳으로 장소를 이동하다.
ゆく・いく【行く】。うつる【移る】
ある場所から他の場所へ移動する。

-라는데 : 명령이나 요청 등의 말을 전달하며 자신의 말을 이어 나타내는 표현.
しろといっているけど【しろと言っているけど】。しろといっているが【しろと言っているが】
命令や要請などの言葉を伝えながら自分の言葉を続けて述べるのに用いる表現。

왜 (ふくし) : 무슨 이유로. 또는 어째서.
なぜ【何故】。どうして。なんで【何で】
どういう理由で。また、何ゆえ。

안 (ふくし) : 부정이나 반대의 뜻을 나타내는 말.
対訳語無し
否定や反対の意を表す語。

가다 (どうし) : 한 곳에서 다른 곳으로 장소를 이동하다.
ゆく・いく【行く】。うつる【移る】
ある場所から他の場所へ移動する。

-아 : (두루낮춤으로) 어떤 사실을 서술하거나 물음, 명령, 권유를 나타내는 종결 어미.
する。である。するのか。しなさい。しよう。しましょう
(略待下称) ある事実を叙述したり質問・命令・勧誘の意を表す「終結語尾」。<しつもん【質問】>

왜 안 <u>가+(아)</u>?
가

왜 (ふくし) : 무슨 이유로. 또는 어째서.
なぜ【何故】。どうして。なんで【何で】
どういう理由で。また、何ゆえ。

안 (ふくし) : 부정이나 반대의 뜻을 나타내는 말.
対訳語無し
否定や反対の意を表す語。

가다 (どうし) : 한 곳에서 다른 곳으로 장소를 이동하다.
ゆく・いく【行く】。うつる【移る】
ある場所から他の場所へ移動する。

-아 : (두루낮춤으로) 어떤 사실을 서술하거나 물음, 명령, 권유를 나타내는 종결 어미.
する。である。するのか。しなさい。しよう。しましょう
(略待下称) ある事実を叙述したり質問・命令・勧誘の意を表す「終結語尾」。 <しつもん【質問】>

알+았+어.

알다 (どうし) : 상대방의 어떤 명령이나 요청에 대해 그대로 하겠다는 동의의 뜻을 나타내는 말.
わかる【分かる】。かしこまる。うけたまわる【承る】
相手の命令や要請に対し、その通りにするという同意を表す語。

-았- : 어떤 사건이 과거에 완료되었거나 그 사건의 결과가 현재까지 지속되는 상황을 나타내는 어미.
た。ている
ある出来事が過去に完了したことや、その出来事の結果が現在まで持続している状況を表す語尾。

-어 : (두루낮춤으로) 어떤 사실을 서술하거나 물음, 명령, 권유를 나타내는 종결 어미.
のか。なさい。よう。ましょう
(略待下称) ある事実を叙述したり、質問・命令・勧誘の意を表す「終結語尾」。 <じょじゅつ【叙述】>

가+[면 되]+지.

가다 (どうし) : 한 곳에서 다른 곳으로 장소를 이동하다.
ゆく・いく【行く】。うつる【移る】
ある場所から他の場所へ移動する。

-면 되다 : 조건이 되는 어떤 행동을 하거나 어떤 상태만 갖추어지면 문제가 없거나 충분함을 나타내는
　　　　　표현.
ばいい。といい
条件になるある行動をするかある状態さえそろえば何も問題ない、
あるいはそれで十分であるという意を表す表現。

-지 : (두루낮춤으로) 말하는 사람이 자신에 대한 이야기나 자신의 생각을 친근하게 말할 때 쓰는 종결 어
　　미.
よ。だろう
(略待下称) 話し手が自分に関する話や自分の考えを親しみをこめて述べるのに用いる「終結語尾」。

<u>가+라고 하+ㄴ다고</u> 진짜 <u>가+(아)</u>.
　　가란다고　　　　　　　　　　가

가다 (どうし) : 한 곳에서 다른 곳으로 장소를 이동하다.
ゆく・いく【行く】。うつる【移る】
ある場所から他の場所へ移動する。

-라고 : 다른 사람에게서 들은 내용을 간접적으로 전달하거나 주어의 생각, 의견 등을 나타내는 표현.
と
他人から聞いた話の内容を間接的に伝えたり主語の考えや意見などを述べるという意を表す表現。

하다 (どうし) : 무엇에 대해 말하다.
する【為る】
何かについて言う。

-ㄴ다고 : 어떤 행위의 목적, 의도를 나타내거나 어떤 상황의 이유, 원인을 나타내는 연결 어미.
ために。ため
ある行為の目的・意図を表したり、ある状況の理由・原因を表す「連結語尾」。

진짜 (ふくし) : 꾸밈이나 거짓이 없이 참으로.
ほんとうに【本当に】
飾り気や偽りがなく実際に。

가다 (どうし) : 한 곳에서 다른 곳으로 장소를 이동하다.
ゆく・いく【行く】。うつる【移る】
ある場所から他の場所へ移動する。

-아 : (두루낮춤으로) 어떤 사실을 서술하거나 물음, 명령, 권유를 나타내는 종결 어미.
する。である。するのか。しなさい。しよう。しましょう
(略待下称) ある事実を叙述したり質問・命令・勧誘の意を表す「終結語尾」。<じょじゅつ【叙述】>

<u>가+라는데</u> 왜 안 <u>가+(아)</u>?
　　　　　　　　　　　가

가다 (どうし) : 한 곳에서 다른 곳으로 장소를 이동하다.
ゆく・いく【行く】。うつる【移る】
ある場所から他の場所へ移動する。

-라는데 : 명령이나 요청 등의 말을 전달하며 자신의 말을 이어 나타내는 표현.
しろといっているけど【しろと言っているけど】。しろといっているが【しろと言っているが】
命令や要請などの言葉を伝えながら自分の言葉を続けて述べるのに用いる表現。

왜 (ふくし) : 무슨 이유로. 또는 어째서.
なぜ【何故】。どうして。なんで【何で】
どういう理由で。また、何ゆえ。

안 (ふくし) : 부정이나 반대의 뜻을 나타내는 말.
対訳語無し
否定や反対の意を表す語。

가다 (どうし) : 한 곳에서 다른 곳으로 장소를 이동하다.
ゆく・いく【行く】。うつる【移る】
ある場所から他の場所へ移動する。

-아 : (두루낮춤으로) 어떤 사실을 서술하거나 물음, 명령, 권유를 나타내는 종결 어미.
する。である。するのか。しなさい。しよう。しましょう
(略待下称) ある事実を叙述したり質問・命令・勧誘の意を表す「終結語尾」。<しつもん【質問】>

가+(아)도 화내+(어).
가도   화내

가다 (どうし) : 한 곳에서 다른 곳으로 장소를 이동하다.
ゆく・いく【行く】。うつる【移る】
ある場所から他の場所へ移動する。

-아도 : 앞에 오는 말을 가정하거나 인정하지만 뒤에 오는 말에는 관계가 없거나 영향을 끼치지 않음을
　　　 나타내는 연결 어미.
ても
前の事柄を仮定したり認めたりするものの、
後の事柄とは関係がないかそれに影響を及ぼさないという意を表す「連結語尾」。

화내다 (どうし) : 몹시 기분이 상해 노여워하는 감정을 드러내다.
おこる【怒る】。はらがたつ【腹が立つ】
非常に気を悪くして、憤りを表わす。

-어 : (두루낮춤으로) 어떤 사실을 서술하거나 물음, 명령, 권유를 나타내는 종결 어미.
のか。なさい。よう。ましょう
(略待下称) ある事実を叙述したり、質問・命令・勧誘の意を表す「終結語尾」。<じょじゅつ【叙述】>

안 가+(아)도 화내+(어).
가도   화내

안 (ふくし) : 부정이나 반대의 뜻을 나타내는 말.
対訳語無し
否定や反対の意を表す語。

가다 (どうし) : 한 곳에서 다른 곳으로 장소를 이동하다.
ゆく・いく【行く】。うつる【移る】
ある場所から他の場所へ移動する。

-아도 : 앞에 오는 말을 가정하거나 인정하지만 뒤에 오는 말에는 관계가 없거나 영향을 끼치지 않음을 나타내는 연결 어미.
ても
前の事柄を仮定したり認めたりするものの、
後の事柄とは関係がないかそれに影響を及ぼさないという意を表す「連結語尾」。

화내다 (どうし) : 몹시 기분이 상해 노여워하는 감정을 드러내다.
おこる【怒る】。はらがたつ【腹が立つ】
非常に気を悪くして、憤りを表わす。

-어 : (두루낮춤으로) 어떤 사실을 서술하거나 물음, 명령, 권유를 나타내는 종결 어미.
のか。なさい。よう。ましょう
(略待下称) ある事実を叙述したり、質問・命令・勧誘の意を表す「終結語尾」。<じょじゅつ【叙述】>

짜증 나+(아), 짜증 나+(아), 짜증 나+(아).
나   나   나

짜증 (めいし) : 마음에 들지 않아서 화를 내거나 싫은 느낌을 겉으로 드러내는 일. 또는 그런 성미.
かんしゃく【癇癪】。いらだち【苛立ち】
気に入らなくて腹を立てたり嫌な気分を表現すること。また、そのような性格。

나다 (どうし) : 어떤 감정이나 느낌이 생기다.
うまれる【生まれる】。おこる【起こる】
ある感情や感じが生じる。

-아 : (두루낮춤으로) 어떤 사실을 서술하거나 물음, 명령, 권유를 나타내는 종결 어미.
する。である。するのか。しなさい。しよう。しましょう
(略待下称) ある事実を叙述したり質問・命令・勧誘の意を表す「終結語尾」。<じょじゅつ【叙述】>

어쩌+라고? 어쩌+라고? 어쩌+라고? 어쩌+라고?

어쩌다 (どうし) : 무엇을 어떻게 하다.
どうする
何をどうにかする。

-라고 : (두루낮춤으로) 들은 사실을 되물으면서 확인함을 나타내는 종결 어미.
って。だと。だって
(略待下称) 聞いた事実を聞き返しながら確認する意を表す「終結語尾」。

도대체 나+보고 어쩌+라고?

도대체 (ふくし) : 아주 궁금해서 묻는 말인데.
いったい【一体】
本当に知りたくて尋ねるのですが。

나 (だいめいし) : 말하는 사람이 친구나 아랫사람에게 자기를 가리키는 말.
わたし【私】。ぼく【僕】。おれ【俺】。じぶん【自分】
話し手が友人や目下の人に対し、自分をさす語。

보고 : 어떤 행동이 미치는 대상임을 나타내는 조사.
に。にむかって【に向かって】
ある行動の及ぶ対象であるという意を表す助詞。

어쩌다 (どうし) : 무엇을 어떻게 하다.
どうする
何をどうにかする。

-라고 : (두루낮춤으로) 들은 사실을 되물으면서 확인함을 나타내는 종결 어미.
って。だと。だって
(略待下称) 聞いた事実を聞き返しながら確認する意を表す「終結語尾」。

어쩌+라고?

어쩌다 (どうし) : 무엇을 어떻게 하다.
どうする
何をどうにかする。

-라고 : (두루낮춤으로) 들은 사실을 되물으면서 확인함을 나타내는 종결 어미.
って。だと。だって
(略待下称) 聞いた事実を聞き返しながら確認する意を表す「終結語尾」。

가+라고, 가+라고, 가+라고.

가다 (どうし) : 한 곳에서 다른 곳으로 장소를 이동하다.
ゆく・いく【行く】。うつる【移る】
ある場所から他の場所へ移動する。

-라고 : (두루낮춤으로) 말하는 사람의 생각이나 주장을 듣는 사람에게 강조하여 말함을 나타내는 종결 어미.
って。だってば
(略待下称) 話し手の考えや主張を聞き手に強調して述べる意を表す「終結語尾」。

보+기 싫+으니까 가+라고, 가+라고.

보다 (どうし) : 눈으로 대상의 존재나 겉모습을 알다.
みる【見る】。ながめる【眺める】
目で対象の存在や外見を知る。

-기 : 앞의 말이 명사의 기능을 하게 하는 어미.
こと
前の言葉を名詞化する語尾。

싫다 (けいようし) : 어떤 일을 하고 싶지 않다.
いやだ【嫌だ】。きがむかない【気が向かない】
やりたくない。

-으니까 : 뒤에 오는 말에 대하여 앞에 오는 말이 원인이나 근거, 전제가 됨을 강조하여 나타내는 연결 어미.
から。ので。ため。ゆえ【故】
後にくる事柄に対して前の事柄がその原因や根拠・前提になることを強調していう「連結語尾」。

가다 (どうし) : 한 곳에서 다른 곳으로 장소를 이동하다.
ゆく・いく【行く】。うつる【移る】
ある場所から他の場所へ移動する。

-라고 : (두루낮춤으로) 말하는 사람의 생각이나 주장을 듣는 사람에게 강조하여 말함을 나타내는 종결 어미.

って。だってば

(略待下称) 話し手の考えや主張を聞き手に強調して述べる意を表す「終結語尾」。

알+았+어.

알다 (どうし) : 상대방의 어떤 명령이나 요청에 대해 그대로 하겠다는 동의의 뜻을 나타내는 말.

わかる【分かる】。かしこまる。うけたまわる【承る】

相手の命令や要請に対し、その通りにするという同意を表す語。

-았- : 어떤 사건이 과거에 완료되었거나 그 사건의 결과가 현재까지 지속되는 상황을 나타내는 어미.

た。ている

ある出来事が過去に完了したことや、その出来事の結果が現在まで持続している状況を表す語尾。

-어 : (두루낮춤으로) 어떤 사실을 서술하거나 물음, 명령, 권유를 나타내는 종결 어미.

のか。なさい。よう。ましょう

(略待下称) ある事実を叙述したり、質問・命令・勧誘の意を表す「終結語尾」。<じょじゅつ【叙述】>

나 가+ㄹ게.
갈게

나 (だいめいし) : 말하는 사람이 친구나 아랫사람에게 자기를 가리키는 말.

わたし【私】。ぼく【僕】。おれ【俺】。じぶん【自分】

話し手が友人や目下の人に対し、自分をさす語。

가다 (どうし) : 한 곳에서 다른 곳으로 장소를 이동하다.

ゆく・いく【行く】。うつる【移る】

ある場所から他の場所へ移動する。

-ㄹ게 : (두루낮춤으로) 말하는 사람이 어떤 행동을 할 것을 듣는 사람에게 약속하거나 의지를 나타내는 종결 어미.

よ。からね

(略待下称) 話し手がある行動をすることを話し手が聞き手に約束したり、
その意志を表明する意を表す「終結語尾」。

어쩌+라고?

어쩌다 (どうし) : 무엇을 어떻게 하다.
どうする
何をどうにかする。

-라고 : (두루낮춤으로) 들은 사실을 되물으면서 확인함을 나타내는 종결 어미.
って。だと。だって
(略待下称) 聞いた事実を聞き返しながら確認する意を表す「終結語尾」。

< 10 >

궁금해

나는 궁금해.
(私は気になる。)

[발음(はつおん【発音】)]

< 1 절(せつ【節】) >

파도처럼 내 맘속으로 밀려 오다 바람처럼 흔적 없이 사라져.
파도처럼 내 맘소그로 밀려 오다 바람처럼 흔적 업씨 사라저.
padocheoreom nae mamsogeuro millyeooda baramcheoreom heunjeok eopsi sarajeo.

파도는 멈출 수가 없는 거니?
파도는 멈출 쑤가 엄는 거니?
padoneun meomchul suga eomneun geoni?

바람은 머물 수가 없는 거니?
바라믄 머물 쑤가 엄는 거니?
barameun meomul suga eomneun geoni?

피어나는 내 맘이 시들지 않게 그치지 않는 세찬 비를 뿌려줘.
피어나는 내 마미 시들지 안케 그치지 안는 세찬 비를 뿌려줘.
pieonaneun nae mami sideulji anke geuchiji anneun sechan bireul ppuryeojwo.

어떤 사람인지 궁금해.
어떤 사라민지 궁금해.
eotteon saraminji gunggeumhae.

너의 그 향기가 궁금해.
너에 그 향기가 궁금해.
neoe geu hyanggiga gunggeumhae.

어떤 사랑일지 너의 그 느낌이.
어떤 사랑일찌 너에 그 느끼미.
eotteon sarangilji neoe geu neukkimi.

궁금해, 궁금해, 궁금해, 궁금해, 궁금해.
궁금해, 궁금해, 궁금해, 궁금해, 궁금해.
gunggeumhae, gunggeumhae, gunggeumhae, gunggeumhae, gunggeumhae.

< 2 절(せつ【節】) >

감미로운 미소로 눈을 맞추면서 고개만 끄덕이다 말없이 사라져.
감미로운 미소로 누늘 맏추면서 고개만 끄더기다 마럽씨 사라저.
gammiroun misoro nuneul matchumyeonseo gogaeman kkeudeogida mareopsi sarajeo.

파도처럼 밀려드는 사랑이 보여.

파도처럼 밀려드는 사랑이 보여.

padocheoreom millyeodeuneun sarangi boyeo.

바람처럼 스치는 사랑이 느껴져.

바람처럼 스치는 사랑이 느껴저.

baramcheoreom seuchineun sarangi neukkyeojeo.

타오르는 열정이 꺼지지 않게 폭풍이 되어 내게 다가와 줘.

타오르는 열쩡이 꺼지지 안케 폭풍이 되어 내게 다가와 줘.

taoreuneun yeoljeongi kkeojiji anke pokpungi doeeo naege dagawa jwo.

어떤 사람인지 궁금해.

어떤 사라민지 궁금해.

eotteon saraminji gunggeumhae.

너의 그 향기가 궁금해.

너에 그 향기가 궁금해.

neoe geu hyanggiga gunggeumhae.

어떤 사랑일지 너의 그 느낌이.

어떤 사랑일찌 너에 그 느끼미.

eotteon sarangilji neoe geu neukkimi.

궁금해, 궁금해, 궁금해, 궁금해, 궁금해.

궁금해, 궁금해, 궁금해, 궁금해, 궁금해.

gunggeumhae, gunggeumhae, gunggeumhae, gunggeumhae, gunggeumhae.

< 3 절(せつ【節】) >

바람을 붙잡을 수 없더라도.

바라믈 붇짜블 쑤 업떠라도.

barameul butjabeul su eopdeorado.

파도가 비에 젖지 않더라도.

파도가 비에 젇찌 안터라도.

padoga bie jeotji anteorado.

내일은 가슴이 아프더라도.

내이른 가스미 아프더라도.

naeireun gaseumi apeudeorado.

미련과 후회만 남더라도.

미련과 후회만 남더라도.

miryeongwa huhoeman namdeorado.

어떤 사람인지 궁금해.
어떤 사라민지 궁금해.
eotteon saraminji gunggeumhae.

너의 그 향기가 궁금해.
너에 그 향기가 궁금해.
neoe geu hyanggiga gunggeumhae.

어떤 사랑일지 너의 그 느낌이.
어떤 사랑일찌 너에 그 느끼미.
eotteon sarangilji neoe geu neukkimi.

궁금해, 궁금해, 궁금해, 궁금해, 궁금해.
궁금해, 궁금해, 궁금해, 궁금해, 궁금해.
gunggeumhae, gunggeumhae, gunggeumhae, gunggeumhae, gunggeumhae.

< 1 절(せつ【節】) >

파도+처럼 나+의 맘속+으로 밀리+[어 오]+다
　　　　　내　　　　　　　　밀려 오다

파도 (めいし) : 바다에 이는 물결.
なみ【波】。はろう【波浪】。はとう【波濤】
海に起きる水面の高低運動。

처럼 : 모양이나 정도가 서로 비슷하거나 같음을 나타내는 조사.
ように。みたいに。らしく。ごとく【如く】
模様や程度が似ていたり同じであることを表す助詞。

나 (だいめいし) : 말하는 사람이 친구나 아랫사람에게 자기를 가리키는 말.
わたし【私】。ぼく【僕】。おれ【俺】。じぶん【自分】
話し手が友人や目下の人に対し、自分をさす語。

의 : 앞의 말이 뒤의 말에 대하여 소유, 소속, 소재, 관계, 기원, 주체의 관계를 가짐을 나타내는 조사.
の
前の言葉が後ろの言葉に対し、所有、所在、関係、起源、主体の関係を持つことを表す助詞。

맘속 (めいし) : 마음의 깊은 곳.
しんこん【心根】。しんてい【心底】
心の奥底。

으로 : 움직임의 방향을 나타내는 조사.
に。へ
動きの方向を表す助詞。

밀리다 (どうし) : 방향의 반대쪽에서 힘이 가해져서 움직여지다.
おされる【押される】。もまれる【揉まれる】
方向の反対側から力が加わって、動かされる。

-어 오다 : 앞의 말이 나타내는 행동이나 상태가 어떤 기준점으로 가까워지면서 계속 진행됨을 나타내는 표현.
てくる
前の言葉の表す行動や状態がある基準点に近づきながら引き続き進むという意を表す表現。

-다 : 어떤 행동이나 상태 등이 중단되고 다른 행동이나 상태로 바뀜을 나타내는 연결 어미.
ていて。…かけて。
ある行動や状態などが中断され、別の行動や状態に変わる意を表す「連結語尾」。

바람+처럼 흔적 없이 사라지+어.
사라져

바람 (めいし) : 기압의 변화 또는 사람이나 기계에 의해 일어나는 공기의 움직임.
かぜ【風】
気圧の変化、または人や機械によって起こる空気の動き。

처럼 : 모양이나 정도가 서로 비슷하거나 같음을 나타내는 조사.
ように。みたいに。らしく。ごとく【如く】
模様や程度が似ていたり同じであることを表す助詞。

흔적 (めいし) : 사물이나 현상이 없어지거나 지나간 뒤에 남겨진 것.
こんせき【痕跡】
過去にある事物や現象があったり、過ぎ去ったことを示すあとかた。

없이 (ふくし) : 사람, 사물, 현상 등이 어떤 곳에 자리나 공간을 차지하고 존재하지 않게.
なく【無く】
席や空間を占めていた人、物、現象などが存在しないように。

사라지다 (どうし) : 어떤 현상이나 물체의 자취 등이 없어지다.
きえる【消える】。きえうせる【消え失せる】
ある現象や物の痕跡などがなくなる。

-어 : (두루낮춤으로) 어떤 사실을 서술하거나 물음, 명령, 권유를 나타내는 종결 어미.
のか。なさい。よう。ましょう
(略待下称) ある事実を叙述したり、質問・命令・勧誘の意を表す「終結語尾」。<じょじゅつ【叙述】>

파도+는 멈추+[ㄹ 수가 없]+[는 거]+(이)+니?
멈출 수가 없는 거니

파도 (めいし) : 바다에 이는 물결.
なみ【波】。はろう【波浪】。はとう【波濤】
海に起きる水面の高低運動。

는 : 문장 속에서 어떤 대상이 화제임을 나타내는 조사.
は
文の中で、ある対象が話題であることを表す助詞。

멈추다 (どうし) : 동작이나 상태가 계속되지 않다.
やむ【止む】。とまる【止まる・停まる】
動作や状態が続かない。

-ㄹ 수가 없다 : 앞에 오는 말이 나타내는 일이 가능하지 않음을 나타내는 표현.
（ら）れない。ことができない
前の言葉の表す内容は不可能なことだという意を表す表現。

-는 거 : 명사가 아닌 것을 문장에서 명사처럼 쓰이게 하거나 '이다' 앞에 쓰일 수 있게 할 때 쓰는 표현.
こと。の。もの
名詞でないものを文中で名詞化し、「이다」の前にくるようにするのに用いる表現。

이다 : 주어가 지시하는 대상의 속성이나 부류를 지정하는 뜻을 나타내는 서술격 조사.
だ。である
主語が指す対象の属性や部類を指定する意を表す叙述格助詞。

-니 : (아주낮춤으로) 물음을 나타내는 종결 어미.
か
(下称) 質問の意を表す「終結語尾」。

바람+은 머물+[(ㄹ) 수가 없]+[는 거]+(이)+니?
머물 수가 없는 거니

바람 (めいし) : 기압의 변화 또는 사람이나 기계에 의해 일어나는 공기의 움직임.
かぜ【風】
気圧の変化、または人や機械によって起こる空気の動き。

은 : 문장 속에서 어떤 대상이 화제임을 나타내는 조사.
は
文章の中である対象が話題であることを表す助詞。

머물다 (どうし) : 도중에 멈추거나 일시적으로 어떤 곳에 묵다.
とまる【泊まる】。とまる【止まる・停まる】。とどまる【止まる・留まる・停まる】
途中で動きを止めたり、一時的にあるところに宿泊したりする。

-ㄹ 수가 없다 : 앞에 오는 말이 나타내는 일이 가능하지 않음을 나타내는 표현.
（ら）れない。ことができない
前の言葉の表す内容は不可能なことだという意を表す表現。

-는 거 : 명사가 아닌 것을 문장에서 명사처럼 쓰이게 하거나 '이다' 앞에 쓰일 수 있게 할 때 쓰는 표현.
こと。の。もの
名詞でないものを文中で名詞化し、「이다」の前にくるようにするのに用いる表現。

이다 : 주어가 지시하는 대상의 속성이나 부류를 지정하는 뜻을 나타내는 서술격 조사.
だ。である
主語が指す対象の属性や部類を指定する意を表す叙述格助詞。

-니 : (아주낮춤으로) 물음을 나타내는 종결 어미.
か
(下称) 質問の意を表す「終結語尾」。

피어나+는 <u>나+의</u> 맘+이 시들+[지 않]+게
내

피어나다 (どうし) : 어떤 느낌이나 생각 등이 일어나다.
おこる【起こる】。わきでる【湧き出る】
感情が沸き起こるか、考えなどが浮かぶ。

-는 : 앞의 말이 관형어의 기능을 하게 만들고 사건이나 동작이 현재 일어남을 나타내는 어미.
する。ている
前の言葉に連体修飾語の機能を持たせ、出来事や動作が現在進行中であるという意を表す語尾。

나 (だいめいし) : 말하는 사람이 친구나 아랫사람에게 자기를 가리키는 말.
わたし【私】。ぼく【僕】。おれ【俺】。じぶん【自分】
話し手が友人や目下の人に対し、自分をさす語。

의 : 앞의 말이 뒤의 말에 대하여 소유, 소속, 소재, 관계, 기원, 주체의 관계를 가짐을 나타내는 조사.
の
前の言葉が後ろの言葉に対し、所有、所在、関係、起源、主体の関係を持つことを表す助詞。

맘 (めいし) : 좋아하는 마음이나 관심.
こころ【心】。き【気】。かんしん【関心】
気に入っていることや関心。

이 : 어떤 상태나 상황의 대상이나 동작의 주체를 나타내는 조사.
が
ある状態・状況の対象や動作の主体を表す助詞。

시들다 (どうし) : 어떤 일에 대한 관심이나 기세가 이전보다 줄어들다.
きのりうすだ【気乗り薄だ】。おとろえる【衰える】
ある事に対する関心や勢いが以前より薄くなる。

-지 않다 : 앞의 말이 나타내는 행위나 상태를 부정하는 뜻을 나타내는 표현.
ない。くない。ではない
前の言葉の表す行為や状態を否定する意を表す表現。

-게 : 앞의 말이 뒤에서 가리키는 일의 목적이나 결과, 방식, 정도 등이 됨을 나타내는 연결 어미.
…く。…に。ように。ほど
前の事柄が後の事柄の目的・結果・方法・程度などになるという意を表す「連結語尾」。

그치+[지 않]+는 세차+ㄴ 비+를 뿌리+[어 주]+어.
　　　　　　　세찬　　　　　　　뿌려 줘

그치다 (どうし) : 계속되던 일, 움직임, 현상 등이 계속되지 않고 멈추다.
やむ【止む】。とまる【止まる】
続いていたこと、動き、現象などが続かなくなる。

-지 않다 : 앞의 말이 나타내는 행위나 상태를 부정하는 뜻을 나타내는 표현.
ない。くない。ではない
前の言葉の表す行為や状態を否定する意を表す表現。

-는 : 앞의 말이 관형어의 기능을 하게 만들고 사건이나 동작이 현재 일어남을 나타내는 어미.
する。ている
前の言葉に連体修飾語の機能を持たせ、出来事や動作が現在進行中であるという意を表す語尾。

세차다 (けいようし) : 기운이나 일이 되어가는 형편 등이 힘 있고 거세다.
はげしい【激しい・烈しい・劇しい】。つよい【強い】
気運や勢いなどが力強くて盛んだ。

-ㄴ : 앞의 말이 관형어의 기능을 하게 만들고 현재의 상태를 나타내는 어미.
た
前の言葉に連体修飾語の機能を持たせ、現在の状態を表す「語尾」。

비 (めいし) : 높은 곳에서 구름을 이루고 있던 수증기가 식어서 뭉쳐 떨어지는 물방울.
あめ【雨】
高いところで雲をつくっていた水蒸気が冷えて、一塊になって落ちてくる水滴。

를 : 동작이 직접적으로 영향을 미치는 대상을 나타내는 조사.
を
動作が直接的に影響を及ぼす対象を表す助詞。

뿌리다 (どうし) : 눈이나 비 등이 날려 떨어지다. 또는 떨어지게 하다.
ぱらつく。ちらつく。そぼふる【そぼ降る】
雪や雨などがまばらに降る。また、降らせる。

-어 주다 : 남을 위해 앞의 말이 나타내는 행동을 함을 나타내는 표현.
てやる。てあげる。てくれる
他人のために前の言葉の表す行動をするという意を表す表現。

-어 : (두루낮춤으로) 어떤 사실을 서술하거나 물음, 명령, 권유를 나타내는 종결 어미.
のか。なさい。よう。ましょう
(略待下称) ある事実を叙述したり、質問・命令・勧誘の意を表す「終結語尾」。<めいれい【命令】>

어떤 <u>사람+이+ㄴ지</u> <u>궁금하+여</u>.
　　　사람인지　　　궁금해

어떤 (かんけいし) : 사람이나 사물의 특징, 내용, 성격, 성질, 모양 등이 무엇인지 물을 때 쓰는 말.
どんな。どのような。どういう
人や物の特徴、内容、性格、形などについて聞く時に用いる語。

사람 (めいし) : 생각할 수 있으며 언어와 도구를 만들어 사용하고 사회를 이루어 사는 존재.
ひと【人】。にんげん【人間】。じんるい【人類】
考える力があり、言語と道具を使い、社会を作って生きる存在。

이다 : 주어가 지시하는 대상의 속성이나 부류를 지정하는 뜻을 나타내는 서술격 조사.
だ。である
主語が指す対象の属性や部類を指定する意を表す叙述格助詞。

-ㄴ지 : 뒤에 오는 말의 내용에 대한 막연한 이유나 판단을 나타내는 연결 어미.
だろうか
次にくる事柄に関する漠然とした理由や判断の意を表す「連結語尾」。

궁금하다 (けいようし) : 무엇이 무척 알고 싶다.
しりたい【知りたい】
何かがとても知りたい。

-여 : (두루낮춤으로) 어떤 사실을 서술하거나 물음, 명령, 권유를 나타내는 종결 어미.
のか。なさい。よう。ましょう
(略待下称) ある事実を叙述したり、質問・命令・勧誘の意を表す「終結語尾」。

너+의 그 향기+가 <u>궁금하+여</u>.
　　　　　　　　　궁금해

너 (だいめいし) : 듣는 사람이 친구나 아랫사람일 때, 그 사람을 가리키는 말.
おまえ【お前】。きみ【君】
聞き手が友人か目下の人である場合、その聞き手をさす語。

의 : 앞의 말이 뒤의 말에 대하여 소유, 소속, 소재, 관계, 기원, 주체의 관계를 가짐을 나타내는 조사.
の
前の言葉が後ろの言葉に対し、所有、所在、関係、起源、主体の関係を持つことを表す助詞。

그 (かんけいし) : 듣는 사람에게 가까이 있거나 듣는 사람이 생각하고 있는 대상을 가리킬 때 쓰는 말.
その
空間的に聞き手に近い人や物、または聞き手が考えている対象をさすときに使う語。

향기 (めいし) : 좋은 냄새.
かおり【香り】。こうき【香気】
いい匂い。

가 : 어떤 상태나 상황에 놓인 대상이나 동작의 주체를 나타내는 조사.
が
ある状態や状況に置かれた対象、または動作の主体を表す助詞。

궁금하다 (けいようし) : 무엇이 무척 알고 싶다.
しりたい【知りたい】
何かがとても知りたい。

-여 : (두루낮춤으로) 어떤 사실을 서술하거나 물음, 명령, 권유를 나타내는 종결 어미.
のか。なさい。よう。ましょう
(略待下称) ある事実を叙述したり、質問・命令・勧誘の意を表す「終結語尾」。

어떤 사랑+이+ㄹ지 너+의 그 느낌+이.
사랑일지

어떤 (かんけいし) : 사람이나 사물의 특징, 내용, 성격, 성질, 모양 등이 무엇인지 물을 때 쓰는 말.
どんな。どのような。どういう
人や物の特徴、内容、性格、形などについて聞く時に用いる語。

사랑 (めいし) : 상대에게 성적으로 매력을 느껴 열렬히 좋아하는 마음.
あい【愛】。こい【恋】。あいじょう【愛情】
相手に性的な魅力を感じて、熱烈に恋い慕う情。

이다 : 주어가 지시하는 대상의 속성이나 부류를 지정하는 뜻을 나타내는 서술격 조사.
だ。である
主語が指す対象の属性や部類を指定する意を表す叙述格助詞。

-ㄹ지 : 어떠한 추측에 대한 막연한 의문을 갖고 그것을 뒤에 오는 말이 나타내는 사실이나 판단과 관련
    시킬 때 쓰는 연결 어미.
かどうか
ある推測について漠然とした疑問をもち、
それを後に述べる事柄や判断に関連付けるのに用いる「連結語尾」。

너 (だいめいし) : 듣는 사람이 친구나 아랫사람일 때, 그 사람을 가리키는 말.
おまえ【お前】。きみ【君】
聞き手が友人か目下の人である場合、その聞き手をさす語。

의 : 앞의 말이 뒤의 말에 대하여 소유, 소속, 소재, 관계, 기원, 주체의 관계를 가짐을 나타내는 조사.
の
前の言葉が後ろの言葉に対し、所有、所在、関係、起源、主体の関係を持つことを表す助詞。

그 (かんけいし) : 듣는 사람에게 가까이 있거나 듣는 사람이 생각하고 있는 대상을 가리킬 때 쓰는 말.
その
空間的に聞き手に近い人や物、または聞き手が考えている対象をさすときに使う語。

느낌 (めいし) : 몸이나 마음에서 일어나는 기분이나 감정.
かんじ【感じ】。きもち【気持ち】。おもい【思い】
体や心から起こる気分や感情。

이 : 어떤 상태나 상황의 대상이나 동작의 주체를 나타내는 조사.
が
ある状態・状況の対象や動作の主体を表す助詞。

<u>궁금하+여</u>, <u>궁금하+여</u>, <u>궁금하+여</u>, <u>궁금하+여</u>, <u>궁금하+여</u>.
　궁금해　　　　궁금해　　　　궁금해　　　　궁금해　　　　궁금해

궁금하다 (けいようし) : 무엇이 무척 알고 싶다.
しりたい【知りたい】
何かがとても知りたい。

-여 : (두루낮춤으로) 어떤 사실을 서술하거나 물음, 명령, 권유를 나타내는 종결 어미.
のか。なさい。よう。ましょう
(略待下称) ある事実を叙述したり、質問・命令・勧誘の意を表す「終結語尾」。

< 2 절(せつ【節】) >

<u>감미롭(감미로우)+ㄴ</u> 미소+로 [눈을 맞추]+면서
　　감미로운

감미롭다 (けいようし) : 달콤한 느낌이 있다.
かんびだ【甘美だ】
心地よくうっとりとした気持ちになる。

-ㄴ : 앞의 말이 관형어의 기능을 하게 만들고 현재의 상태를 나타내는 어미.
た
前の言葉に連体修飾語の機能を持たせ、現在の状態を表す「語尾」。

미소 (めいし) : 소리 없이 빙긋이 웃는 웃음.
びしょう【微笑】。ほほえみ【微笑み】
音を出さずに、にっこりと笑うこと。

로 : 어떤 일의 방법이나 방식을 나타내는 조사.
で
ある動作を行うための方法や方式を表す助詞。

눈을 맞추다 (かんようく) : 서로 눈을 마주 보다.
目を合わせる
互いに見つめ合う。

-면서 : 두 가지 이상의 동작이나 상태가 함께 일어남을 나타내는 연결 어미.
ながら
二つ以上の動作や状態が共に起こるという意を表す「連結語尾」。

고개+만 끄덕이+다 말없이 <u>사라지+어</u>.
사라져

고개 (めいし) : 목을 포함한 머리 부분.
くび【首】
うなじやのどを含めた頭の部分。

만 : 다른 것은 제외하고 어느 것을 한정함을 나타내는 조사.
だけ。のみ
他の物事は除き、特定の物事に限定するという意を表す助詞。

끄덕이다 (どうし) : 머리를 가볍게 아래위로 움직이다.
うなずく【頷く】。こっくりする。こくりする
首を軽く縦に振る。

-다 : 어떤 행동이나 상태 등이 중단되고 다른 행동이나 상태로 바뀜을 나타내는 연결 어미.
ていて。…かけて。
ある行動や状態などが中断され、別の行動や状態に変わる意を表す「連結語尾」。

말없이 (ふくし) : 아무 말도 하지 않고.
だまって【黙って】。むごんで【無言で】
何も言わずに。

사라지다 (どうし) : 어떤 현상이나 물체의 자취 등이 없어지다.
きえる【消える】。きえうせる【消え失せる】
ある現象や物の痕跡などがなくなる。

-어 : (두루낮춤으로) 어떤 사실을 서술하거나 물음, 명령, 권유를 나타내는 종결 어미.
のか。なさい。よう。ましょう
(略待下称) ある事実を叙述したり、質問・命令・勧誘の意を表す「終結語尾」。<じょじゅつ【叙述】>

파도+처럼 밀려들(밀려드)+는 사랑+이 보이+어.
밀려드는   보여

파도 (めいし) : 바다에 이는 물결.
なみ【波】。はろう【波浪】。はとう【波濤】
海に起きる水面の高低運動。

처럼 : 모양이나 정도가 서로 비슷하거나 같음을 나타내는 조사.
ように。みたいに。らしく。ごとく【如く】
模様や程度が似ていたり同じであることを表す助詞。

밀려들다 (どうし) : 한꺼번에 많이 몰려 들어오다.
おしよせる【押し寄せる】。おしかける【押し掛ける】
一気に群れをなして来る。

-는 : 앞의 말이 관형어의 기능을 하게 만들고 사건이나 동작이 현재 일어남을 나타내는 어미.
する。ている
前の言葉に連体修飾語の機能を持たせ、出来事や動作が現在進行中であるという意を表す語尾。

사랑 (めいし) : 상대에게 성적으로 매력을 느껴 열렬히 좋아하는 마음.
あい【愛】。こい【恋】。あいじょう【愛情】
相手に性的な魅力を感じて、熱烈に恋い慕う情。

이 : 어떤 상태나 상황의 대상이나 동작의 주체를 나타내는 조사.
が
ある状態・状況の対象や動作の主体を表す助詞。

보이다 (どうし) : 눈으로 대상의 존재나 겉모습을 알게 되다.
みえる【見える】
目で対象の存在や見かけが分かるようになる。

-어 : (두루낮춤으로) 어떤 사실을 서술하거나 물음, 명령, 권유를 나타내는 종결 어미.
のか。なさい。よう。ましょう
(略待下称) ある事実を叙述したり、質問・命令・勧誘の意を表す「終結語尾」。<じょじゅつ【叙述】>

바람+처럼 스치+는 사랑+이 <u>느끼+어지+어</u>.
느껴져

바람 (めいし) : 기압의 변화 또는 사람이나 기계에 의해 일어나는 공기의 움직임.
かぜ【風】
気圧の変化、または人や機械によって起こる空気の動き。

처럼 : 모양이나 정도가 서로 비슷하거나 같음을 나타내는 조사.
ように。みたいに。らしく。ごとく【如く】
模様や程度が似ていたり同じであることを表す助詞。

스치다 (どうし) : 냄새, 바람, 소리 등이 약하게 잠시 느껴지다.
ふれる【触れる】
におい、風、音などがかすかに感じられる。

-는 : 앞의 말이 관형어의 기능을 하게 만들고 사건이나 동작이 현재 일어남을 나타내는 어미.
する。ている
前の言葉に連体修飾語の機能を持たせ、出来事や動作が現在進行中であるという意を表す語尾。

사랑 (めいし) : 상대에게 성적으로 매력을 느껴 열렬히 좋아하는 마음.
あい【愛】。こい【恋】。あいじょう【愛情】
相手に性的な魅力を感じて、熱烈に恋い慕う情。

이 : 어떤 상태나 상황의 대상이나 동작의 주체를 나타내는 조사.
が
ある状態・状況の対象や動作の主体を表す助詞。

느끼다 (どうし) : 마음속에서 어떤 감정을 경험하다.
かんずる【感ずる】。おぼえる【覚える】
心の中にある感情を持つ。

-어지다 : 앞에 오는 말이 나타내는 상태로 점점 되어 감을 나타내는 표현.
ていく。てくる
次第に前の言葉の表す状態になっていくという意を表す表現。

-어 : (두루낮춤으로) 어떤 사실을 서술하거나 물음, 명령, 권유를 나타내는 종결 어미.
のか。なさい。よう。ましょう
(略待下称) ある事実を叙述したり、質問・命令・勧誘の意を表す「終結語尾」。<じょじゅつ【叙述】>

타오르+는 열정+이 꺼지+[지 않]+게

타오르다 (どうし) : 마음이 불같이 뜨거워지다.
もえあがる【燃え上がる】
胸・心が炎のように熱くなる。

-는 : 앞의 말이 관형어의 기능을 하게 만들고 사건이나 동작이 현재 일어남을 나타내는 어미.
する。ている
前の言葉に連体修飾語の機能を持たせ、出来事や動作が現在進行中であるという意を表す語尾。

열정 (めいし) : 어떤 일에 뜨거운 애정을 가지고 열심히 하는 마음.
ねつじょう【熱情】。じょうねつ【情熱】
何かに熱い愛情を持って熱心に取り組む心。

이 : 어떤 상태나 상황의 대상이나 동작의 주체를 나타내는 조사.
が
ある状態・状況の対象や動作の主体を表す助詞。

꺼지다 (どうし) : 어떤 감정이 풀어지거나 사라지다.
きえる【消える】
ある感情が静まったりなくなったりする。

-지 않다 : 앞의 말이 나타내는 행위나 상태를 부정하는 뜻을 나타내는 표현.
ない。くない。ではない
前の言葉の表す行為や状態を否定する意を表す表現。

-게 : 앞의 말이 뒤에서 가리키는 일의 목적이나 결과, 방식, 정도 등이 됨을 나타내는 연결 어미.
…く。…に。ように。ほど
前の事柄が後の事柄の目的・結果・方法・程度などになるという意を表す「連結語尾」。

폭풍+이 되+어 나+에게 다가오+[아 주]+어.
내게   다가와 줘

폭풍 (めいし) : 매우 세차게 부는 바람.
ぼうふう【暴風】。あらし【嵐】
非常に激しく吹く風。

이 : 바뀌게 되는 대상이나 부정하는 대상임을 나타내는 조사.
では。に
変わる対象や否定する対象であることを表す助詞。

되다 (どうし) : 다른 것으로 바뀌거나 변하다.
なる
別のものに変わる。

-어 : 앞의 말이 뒤의 말보다 먼저 일어났거나 뒤의 말에 대한 방법이나 수단이 됨을 나타내는 연결 어미.
て
前の事柄が後の事柄より先に行われたか、後の事柄の方法や手段になるという意を表す「連結語尾」。

나 (だいめいし) : 말하는 사람이 친구나 아랫사람에게 자기를 가리키는 말.
わたし【私】。ぼく【僕】。おれ【俺】。じぶん【自分】
話し手が友人や目下の人に対し、自分をさす語。

에게 : 어떤 행동이 미치는 대상임을 나타내는 조사.
に
行動が行われる対象を表す助詞。

다가오다 (どうし) : 어떤 대상이 있는 쪽으로 가까이 옮기어 오다.
ちかづく【近付く】。ちかよる【近寄る】
ある対象の近くに移動してくる。

-아 주다 : 남을 위해 앞의 말이 나타내는 행동을 함을 나타내는 표현.
てやる。てあげる。てくれる
他人のために前の言葉の表す行動をするという意を表す表現。

-어 : (두루낮춤으로) 어떤 사실을 서술하거나 물음, 명령, 권유를 나타내는 종결 어미.
のか。なさい。よう。ましょう
(略待下称) ある事実を叙述したり、質問・命令・勧誘の意を表す「終結語尾」。<めいれい【命令】>

어떤 사람+이+ㄴ지 궁금하+여.
　　　사람인지　　궁금해

어떤 (かんけいし) : 사람이나 사물의 특징, 내용, 성격, 성질, 모양 등이 무엇인지 물을 때 쓰는 말.
どんな。どのような。どういう
人や物の特徴、内容、性格、形などについて聞く時に用いる語。

사람 (めいし) : 생각할 수 있으며 언어와 도구를 만들어 사용하고 사회를 이루어 사는 존재.
ひと【人】。にんげん【人間】。じんるい【人類】
考える力があり、言語と道具を使い、社会を作って生きる存在。

이다 : 주어가 지시하는 대상의 속성이나 부류를 지정하는 뜻 나타내는 서술격 조사.
だ。である
主語が指す対象の属性や部類を指定する意を表す叙述格助詞。

-ㄴ지 : 뒤에 오는 말의 내용에 대한 막연한 이유나 판단을 나타내는 연결 어미.
だろうか
次にくる事柄に関する漠然とした理由や判断の意を表す「連結語尾」。

궁금하다 (けいようし) : 무엇이 무척 알고 싶다.
しりたい【知りたい】
何かがとても知りたい。

-여 : (두루낮춤으로) 어떤 사실을 서술하거나 물음, 명령, 권유를 나타내는 종결 어미.
のか。なさい。よう。ましょう
(略待下称) ある事実を叙述したり、質問・命令・勧誘の意を表す「終結語尾」。

너+의 그 향기+가 궁금하+여.
궁금해

너 (だいめいし) : 듣는 사람이 친구나 아랫사람일 때, 그 사람을 가리키는 말.
おまえ【お前】。きみ【君】
聞き手が友人か目下の人である場合、その聞き手をさす語。

의 : 앞의 말이 뒤의 말에 대하여 소유, 소속, 소재, 관계, 기원, 주체의 관계를 가짐을 나타내는 조사.
の
前の言葉が後ろの言葉に対し、所有、所在、関係、起源、主体の関係を持つことを表す助詞。

그 (かんけいし) : 듣는 사람에게 가까이 있거나 듣는 사람이 생각하고 있는 대상을 가리킬 때 쓰는 말.
その
空間的に聞き手に近い人や物、または聞き手が考えている対象をさすときに使う語。

향기 (めいし) : 좋은 냄새.
かおり【香り】。こうき【香気】
いい匂い。

가 : 어떤 상태나 상황에 놓인 대상이나 동작의 주체를 나타내는 조사.
が
ある状態や状況に置かれた対象、または動作の主体を表す助詞。

궁금하다 (けいようし) : 무엇이 무척 알고 싶다.
しりたい【知りたい】
何かがとても知りたい。

-여 : (두루낮춤으로) 어떤 사실을 서술하거나 물음, 명령, 권유를 나타내는 종결 어미.
のか。なさい。よう。ましょう
(略待下称) ある事実を叙述したり、質問・命令・勧誘の意を表す「終結語尾」。

어떤 <u>사랑+이+ㄹ지</u> 너+의 그 느낌+이.
사랑일지

어떤 (かんけいし) : 사람이나 사물의 특징, 내용, 성격, 성질, 모양 등이 무엇인지 물을 때 쓰는 말.
どんな。どのような。どういう
人や物の特徴、内容、性格、形などについて聞く時に用いる語。

사랑 (めいし) : 상대에게 성적으로 매력을 느껴 열렬히 좋아하는 마음.
あい【愛】。こい【恋】。あいじょう【愛情】
相手に性的な魅力を感じて、熱烈に恋い慕う情。

이다 : 주어가 지시하는 대상의 속성이나 부류를 지정하는 뜻을 나타내는 서술격 조사.
だ。である
主語が指す対象の属性や部類を指定する意を表す叙述格助詞。

-ㄹ지 : 어떠한 추측에 대한 막연한 의문을 갖고 그것을 뒤에 오는 말이 나타내는 사실이나 판단과 관련
시킬 때 쓰는 연결 어미.
かどうか
ある推測について漠然とした疑問をもち、
それを後に述べる事柄や判断に関連付けるのに用いる「連結語尾」。

너 (だいめいし) : 듣는 사람이 친구나 아랫사람일 때, 그 사람을 가리키는 말.
おまえ【お前】。きみ【君】
聞き手が友人か目下の人である場合、その聞き手をさす語。

의 : 앞의 말이 뒤의 말에 대하여 소유, 소속, 소재, 관계, 기원, 주체의 관계를 가짐을 나타내는 조사.
の
前の言葉が後ろの言葉に対し、所有、所在、関係、起源、主体の関係を持つことを表す助詞。

그 (かんけいし) : 듣는 사람에게 가까이 있거나 듣는 사람이 생각하고 있는 대상을 가리킬 때 쓰는 말.
その
空間的に聞き手に近い人や物、または聞き手が考えている対象をさすときに使う語。

느낌 (めいし) : 몸이나 마음에서 일어나는 기분이나 감정.
かんじ【感じ】。きもち【気持ち】。おもい【思い】
体や心から起こる気分や感情。

이 : 어떤 상태나 상황의 대상이나 동작의 주체를 나타내는 조사.
が
ある状態・状況の対象や動作の主体を表す助詞。

<u>궁금하+여</u>, <u>궁금하+여</u>, <u>궁금하+여</u>, <u>궁금하+여</u>, <u>궁금하+여</u>.
궁금해　　　궁금해　　　궁금해　　　궁금해　　　궁금해

궁금하다 (けいようし) : 무엇이 무척 알고 싶다.
しりたい【知りたい】
何かがとても知りたい。

-여 : (두루낮춤으로) 어떤 사실을 서술하거나 물음, 명령, 권유를 나타내는 종결 어미.
のか。なさい。よう。ましょう
(略待下称) ある事実を叙述したり、質問・命令・勧誘の意を表す「終結語尾」。

< 3 절(せつ【節】) >

바람+을 붙잡+[을 수 없]+더라도.

바람 (めいし) : 기압의 변화 또는 사람이나 기계에 의해 일어나는 공기의 움직임.
かぜ【風】
気圧の変化、または人や機械によって起こる空気の動き。

을 : 동작이 직접적으로 영향을 미치는 대상을 나타내는 조사.
を
動作が直接的に影響を及ぼす対象を表す助詞。

붙잡다 (どうし) : 무엇을 놓치지 않도록 단단히 잡다.
つかむ【掴む・攫む】
何かを落とさないようにしっかり握る。

-을 수 없다 : 앞에 오는 말이 나타내는 일이 가능하지 않음을 나타내는 표현.
(ら)れない。ことができない
前の言葉の表す内容は不可能だという意を表す表現。

-더라도 : 앞에 오는 말을 가정하거나 인정하지만 뒤에 오는 말에는 관계가 없거나 영향을 끼치지 않음을 나타내는 연결 어미.
ても。でも。であっても。としても
前の事柄を仮定したり認めたりするものの、
後の事柄とは関係がないかそれに影響を及ぼさないという意を表す「連結語尾」。

파도+가 비+에 젖+[지 않]+더라도.

파도 (めいし) : 바다에 이는 물결.
なみ【波】。はろう【波浪】。はとう【波濤】
海に起きる水面の高低運動。

가 : 어떤 상태나 상황에 놓인 대상이나 동작의 주체를 나타내는 조사.
が
ある状態や状況に置かれた対象、または動作の主体を表す助詞。

비 (めいし) : 높은 곳에서 구름을 이루고 있던 수증기가 식어서 뭉쳐 떨어지는 물방울.
あめ【雨】
高いところで雲をつくっていた水蒸気が冷えて、一塊になって落ちてくる水滴。

에 : 앞말이 어떤 일의 원인임을 나타내는 조사.
に。で
前の言葉が原因であることを表す助詞。

젖다 (どうし) : 액체가 스며들어 축축해지다.
ぬれる【濡れる】。しめる【湿る】
液体が染み込んで湿っぽくなる。

-지 않다 : 앞의 말이 나타내는 행위나 상태를 부정하는 뜻을 나타내는 표현.
ない。くない。ではない
前の言葉の表す行為や状態を否定する意を表す表現。

-더라도 : 앞에 오는 말을 가정하거나 인정하지만 뒤에 오는 말에는 관계가 없거나 영향을 끼치지 않음을
　　　　　나타내는 연결 어미.
ても。でも。であっても。としても
前の事柄を仮定したり認めたりするものの、
後の事柄とは関係がないかそれに影響を及ぼさないという意を表す「連結語尾」。

내일+은 가슴+이 아프+더라도.

내일 (めいし) : 오늘의 다음 날.
あした・あす・みょうにち【明日】
今日の次の日。

은 : 문장 속에서 어떤 대상이 화제임을 나타내는 조사.
は
文章の中である対象が話題であることを表す助詞。

가슴 (めいし) : 마음이나 느낌.
むね【胸】
心や胸のうち。

이 : 어떤 상태나 상황의 대상이나 동작의 주체를 나타내는 조사.
が
ある状態・状況の対象や動作の主体を表す助詞。

아프다 (けいようし) : 슬픔이나 연민으로 마음에 괴로운 느낌이 있다.
こころぐるしい【心苦しい】。つらい【辛い】
悲しみや哀れみのため、心が苦しい。

-더라도 : 앞에 오는 말을 가정하거나 인정하지만 뒤에 오는 말에는 관계가 없거나 영향을 끼치지 않음을
          나타내는 연결 어미.
ても。でも。であっても。としても
前の事柄を仮定したり認めたりするものの、
後の事柄とは関係がないかそれに影響を及ぼさないという意を表す「連結語尾」。

미련+과 후회+만 남+더라도.

미련 (めいし) : 잊어버리거나 그만두어야 할 것을 깨끗이 잊거나 포기하지 못하고 여전히 끌리는 마음.
みれん【未練】
忘れたり諦めるべきことを忘れられなかったり諦められず、相変わらず気持ちが後を引くこと。

과 : 앞과 뒤의 명사를 같은 자격으로 이어 줄 때 쓰는 조사.
と
前後の名詞を同等な資格でつなぐ時に用いる助詞。

후회 (めいし) : 이전에 자신이 한 일이 잘못임을 깨닫고 스스로 자신의 잘못을 꾸짖음.
こうかい【後悔】
前に自分がしたことが間違っていることに気づき、後から悔やむこと。

만 : 다른 것은 제외하고 어느 것을 한정함을 나타내는 조사.
だけ。のみ
他の物事は除き、特定の物事に限定するという意を表す助詞。

남다 (どうし) : 잊히지 않다.
のこる【残る】
忘れられない。

-더라도 : 앞에 오는 말을 가정하거나 인정하지만 뒤에 오는 말에는 관계가 없거나 영향을 끼치지 않음을
　　　　 나타내는 연결 어미.
ても。でも。であっても。としても
前の事柄を仮定したり認めたりするものの、
後の事柄とは関係がないかそれに影響を及ぼさないという意を表す「連結語尾」。

어떤 사람+이+ㄴ지 궁금하+여.
사람인지　　궁금해

어떤 (かんけいし) : 사람이나 사물의 특징, 내용, 성격, 성질, 모양 등이 무엇인지 물을 때 쓰는 말.
どんな。どのような。どういう
人や物の特徴、内容、性格、形などについて聞く時に用いる語。

사람 (めいし) : 생각할 수 있으며 언어와 도구를 만들어 사용하고 사회를 이루어 사는 존재.
ひと【人】。にんげん【人間】。じんるい【人類】
考える力があり、言語と道具を使い、社会を作って生きる存在。

이다 : 주어가 지시하는 대상의 속성이나 부류를 지정하는 뜻을 나타내는 서술격 조사.
だ。である
主語が指す対象の属性や部類を指定する意を表す叙述格助詞。

-ㄴ지 : 뒤에 오는 말의 내용에 대한 막연한 이유나 판단을 나타내는 연결 어미.
だろうか
次にくる事柄に関する漠然とした理由や判断の意を表す「連結語尾」。

궁금하다 (けいようし) : 무엇이 무척 알고 싶다.
しりたい【知りたい】
何かがとても知りたい。

-여 : (두루낮춤으로) 어떤 사실을 서술하거나 물음, 명령, 권유를 나타내는 종결 어미.
のか。なさい。よう。ましょう
(略待下称) ある事実を叙述したり、質問・命令・勧誘の意を表す「終結語尾」。

너+의 그 향기+가 궁금하+여.
궁금해

너 (だいめいし) : 듣는 사람이 친구나 아랫사람일 때, 그 사람을 가리키는 말.
おまえ【お前】。きみ【君】
聞き手が友人か目下の人である場合、その聞き手をさす語。

의 : 앞의 말이 뒤의 말에 대하여 소유, 소속, 소재, 관계, 기원, 주체의 관계를 가짐을 나타내는 조사.
の
前の言葉が後ろの言葉に対し、所有、所在、関係、起源、主体の関係を持つことを表す助詞。

그 (かんけいし) : 듣는 사람에게 가까이 있거나 듣는 사람이 생각하고 있는 대상을 가리킬 때 쓰는 말.
その
空間的に聞き手に近い人や物、または聞き手が考えている対象をさすときに使う語。

향기 (めいし) : 좋은 냄새.
かおり【香り】。こうき【香気】
いい匂い。

가 : 어떤 상태나 상황에 놓인 대상이나 동작의 주체를 나타내는 조사.
が
ある状態や状況に置かれた対象、または動作の主体を表す助詞。

궁금하다 (けいようし) : 무엇이 무척 알고 싶다.
しりたい【知りたい】
何かがとても知りたい。

-여 : (두루낮춤으로) 어떤 사실을 서술하거나 물음, 명령, 권유를 나타내는 종결 어미.
のか。なさい。よう。ましょう
(略待下称) ある事実を叙述したり、質問・命令・勧誘の意を表す「終結語尾」。

어떤 사랑+이+ㄹ지 너+의 그 느낌+이.
　　사랑일지

어떤 (かんけいし) : 사람이나 사물의 특징, 내용, 성격, 성질, 모양 등이 무엇인지 물을 때 쓰는 말.
どんな。どのような。どういう
人や物の特徴、内容、性格、形などについて聞く時に用いる語。

사랑 (めいし) : 상대에게 성적으로 매력을 느껴 열렬히 좋아하는 마음.
あい【愛】。こい【恋】。あいじょう【愛情】
相手に性的な魅力を感じて、熱烈に恋い慕う情。

이다 : 주어가 지시하는 대상의 속성이나 부류를 지정하는 뜻을 나타내는 서술격 조사.
だ。である
主語が指す対象の属性や部類を指定する意を表す叙述格助詞。

-ㄹ지 : 어떠한 추측에 대한 막연한 의문을 갖고 그것을 뒤에 오는 말이 나타내는 사실이나 판단과 관련
　　　시킬 때 쓰는 연결 어미.
かどうか
ある推測について漠然とした疑問をもち、
それを後に述べる事柄や判断に関連付けるのに用いる「連結語尾」。

너 (だいめいし) : 듣는 사람이 친구나 아랫사람일 때, 그 사람을 가리키는 말.
おまえ【お前】。きみ【君】
聞き手が友人か目下の人である場合、その聞き手をさす語。

의 : 앞의 말이 뒤의 말에 대하여 소유, 소속, 소재, 관계, 기원, 주체의 관계를 가짐을 나타내는 조사.
の
前の言葉が後ろの言葉に対し、所有、所在、関係、起源、主体の関係を持つことを表す助詞。

그 (かんけいし) : 듣는 사람에게 가까이 있거나 듣는 사람이 생각하고 있는 대상을 가리킬 때 쓰는 말.
その
空間的に聞き手に近い人や物、または聞き手が考えている対象をさすときに使う語。

느낌 (めいし) : 몸이나 마음에서 일어나는 기분이나 감정.
かんじ【感じ】。きもち【気持ち】。おもい【思い】
体や心から起こる気分や感情。

이 : 어떤 상태나 상황의 대상이나 동작의 주체를 나타내는 조사.
が
ある状態・状況の対象や動作の主体を表す助詞。

궁금하+여, 궁금하+여, 궁금하+여, 궁금하+여, 궁금하+여.
　궁금해　　　궁금해　　　궁금해　　　궁금해　　　궁금해

궁금하다 (けいようし) : 무엇이 무척 알고 싶다.
しりたい【知りたい】
何かがとても知りたい。

-여 : (두루낮춤으로) 어떤 사실을 서술하거나 물음, 명령, 권유를 나타내는 종결 어미.
のか。なさい。よう。ましょう
(略待下称) ある事実を叙述したり、質問・命令・勧誘の意を表す「終結語尾」。

< 참고(さんこう【参考】) 문헌(ぶんけん【文献】) >

고려대학교 한국어대사전, 고려대학교 민족문화연구원, 2009
우리말샘, 국립국어원, 2016
표준국어대사전, 국립국어원, 1999
한국어교육 문법 자료편, 한글파크, 2016
한국어 교육학 사전, 하우, 2014
한국어기초사전, 국립국어원, 2016
한국어 문법 총론 Ⅰ, 집문당, 2015

HANPUK

노래로 배우는 한국어 1 にほんご(ほんやく)

발 행 | 2024년 6월 13일
저 자 | 주식회사 한글2119연구소
펴낸이 | 한건희
펴낸곳 | 주식회사 부크크
출판사등록 | 2014.07.15.(제2014-16호)
주 소 | 서울특별시 금천구 가산디지털1로 119 SK트윈타워 A동 305호
전 화 | 1670-8316
이메일 | info@bookk.co.kr

ISBN | 979-11-410-8946-7

www.bookk.co.kr